えっ⁉
ファスティングって
こんなに楽だったんだ！

はじめに

科学的根拠のあるダイエット
それがプロラボ式　朝だけファスティング

世の中には様々なダイエット法があります。「糖質オフダイエット」「〜を食べるダイエット」「レコードダイエット」「ケトンダイエット」等々。数えあげたらキリがありません。

星の数ほどあるダイエット法、「糖質オフ」があるかと思えば「炭水化物摂取ダイエット」を唱える人もいて。もう、何が何だか！

なぜ、こんなにもあるのか？

それは「ダイエットに絶対はないから、正解が見つからない」ことにあるのではないでしょうか。

昔は油が悪者で、カロリーがダメだったのが、最近は油より糖質が悪者で、でも糖質も必要って話もあって。

でもね、一つだけ誰もが絶対に痩せられる方法ってあるのです。それは何かと言うと…「断食」。英語だと「ファスティング」。

ダイエットの常識を覆す朝だけファスティング

今『「食べなきゃ痩せる」のは当たり前。それが出来ないからダイエット法を探求しているんだろっ！！！』というお怒りの声が聞こえてきました。

そう本気の断食は、かなり厳しいと思います。何しろ断食の起源は精神修行ですから。本気の断食を簡略化した「プチ断食」というのもありますが、たとえ1日でも水以外口にしないのは、想像以上に大変です。

また、非常に心苦しいことを言いますが、自己流でプチ断食を行った方のほとんどは失敗に終わっています。

プチ断食の失敗あるあるベスト3は

1　絶え間ない空腹感に心が折れてしまう
2　頭痛やダルさ、眠気に襲われる
3　断食後、激しくリバウンドしてしまった

これらの失敗理由から、もう二度と断食はしないという方も、少なくないはず。ですが、本書が薦めるファスティングも、ベースは断食なんですが…。

食事はします。1日1食、何なら2食でもOKです。
それで、痩せられるのかって？

はい！もちろんです。「プロラボ式　朝だけファスティング」は、欧米で、医療機関によってエビデンス（科学的根拠）の取られたファスティング方法をベースにした、これまでのダイエット情報とは全く異なるダイエット法なのです。

朝だけファスティングのベースとなる科学的根拠ですが、２０２１年2月現在で、検索可能な論文は５９９報。今こうして、本書を執筆している間も、世界各国で臨床試験が行われていることでしょう。

なぜなら、朝だけファスティング。これまでの研究で痩身効果のみならず血糖値、脂質、血圧といったメタボリックシンドロームに関係深い数値が改善されるだけでなく、炎症を抑えることもわかり、世界中の専門家が期待を寄せているのですから。

医者が薦める最新ダイエットだなんて、何だか難しそう…。

いいえ、難しいことなんて、ありません。

朝だけファスティングのルールは簡単。最後の食事から16時間「固形物」を食べず、酵素ドリンクだけ飲みます。16時間過ぎたら、食事してください。詳しい方法や食事のアドバイスは本書の第4章で、解説しますが、基本、これだけ。簡単でしょ⁉

えっ、簡単すぎて、本当にそれで痩せられるの？

それが、痩せられるんです！

朝だけファスティングがなぜ痩せられるのか？

それは、一つに1日2食にすることで、内臓を休ませてあげられるから。この「内臓を休ませる」というのは、本当に大事なんですよ。

胃や腸は、食べたものを何時間もかけて消化するのですが、次々と食べものが入ってくると、当然ながら内臓は疲れてしまいます。結果、消化力が低下して「消化不良」を起こします。

すると、栄養素をきちんと吸収できず、排泄も出来ないまま腸の中で未消化物は腐っていきます。

やがて、腐った未消化物は体内に吸収されてしまい、血液などを汚すようになると、痩せないどころか生活習慣病のきっかけにもなってしまいます。

最近では、欧米の医師たちが「どうも、消化器官を休ませるのは病気の治癒や健康増進にいいらしいぞ」と気づき始め、科学的な研究も盛んに行われるようになりました。

このように内臓を、特に消化器官を休ませるというのは、私たちが考えている以上に大切な要素です。

次に、酵素ドリンクを飲むことで腸内環境が改善され、デブ菌は減り、痩せ菌が増えます！そして、腸内環境が整ったことで、免疫アップ、代謝アップに繋がります！

さらに、素晴らしいのは若返りの鍵を握る生体反応「オートファジー」のスイッチが入り、細胞が元気になること。

どうですか?食事を1日3食から2食に変えるだけのファスティングなら、続けられそうな気がしませんか。

ところでプロラボ式は、

なぜ朝のファスティングを推奨しているのでしょうか?

その答えは、人間の身体に備わった生体リズムにあります。人間に限らず、生き物すべては24時間周期の変化に同調して、体内環境を変化させる機能を持っています。

この生体リズム同様、腸にもリズムがあり、1日24時間を、排泄・消化・吸収の3つに分けるサイクルがあります。

排泄の時間は、朝4時~12時。体内に溜まった老廃物や毒素を外に出す時間帯です。朝、トイレに行きたくなるのは、リズムに則った自然の摂理なのです。

次に12時〜20時までは、栄養補給と消化の時間。20時〜翌4時は、代謝の時間。お肌のゴールデンタイムとか、身長が伸びるのも、この「代謝」の時間です。

このように腸内リズムで見ると、本来、朝食に過度な消化は適していません。朝の時間帯は、胃や腸などの消化器官は寝ている状態。そのため固形物を食べると消化不良をおこしてしまうのです。

朝食を摂ることは、朝起きてフルマラソンをするくらい身体に負担がかかると言う専門家もいます。

昼だけ、夜だけではなく、なぜプロラボ式は「朝だけファスティング」にこだわっているのか、お判りいただけたでしょうか。

腸内リズムを考えた朝だけファスティングは、よりストレスフリーなだけでなく、健康面、美容面でも効果が出せるよう、バージョンアップしたメソッド。ファスティングを実践することで、次のような効果が期待できます。

朝だけファスティングで期待できる14のメリット

1　体脂肪の減少
2　溜まった毒素の排出
3　肌がキレイに
4　腸がキレイに
5　免疫力アップ
6　便秘の改善
7　食生活の改善
8　味覚が正常になり、食事が美味しくなる
9　血液をサラサラにする
10　疲れにくくなる
11　ストレスの軽減

12　コリや痛みの軽減
13　睡眠の質が良くなる
14　冷えが改善する

私が所属する一般財団法人 内面美容医学財団（ＩＢＭＦ）は、外面からの施術や化粧ではなく、内面からの美容（食事やインナービューティ）と人類の健康寿命の延伸を目的として設立された国際的学術研究団体です。

発足は２０１８年ですが、それ以前の２００２年より酵素栄養学に基づいた「酵素ファスティング」のエビデンスを重ねてきました。20年近い年月の中で、沢山の方を痩身に導いてきました。

およそ20年に渡って、積み上げてきた経験と実績を背景に完成させたのが「プロラボ式　朝だけファスティング」。

1人でも多くの方が、理想の体型を手に入れ、健康で若々しく、ハッピーな毎日を送れますように！

本書が、その一助となることを願っています！

2021年　6月

一般財団法人 内面美容医学財団　理事
シンヤ　ノブアキ

体内に蓄積される有害物質

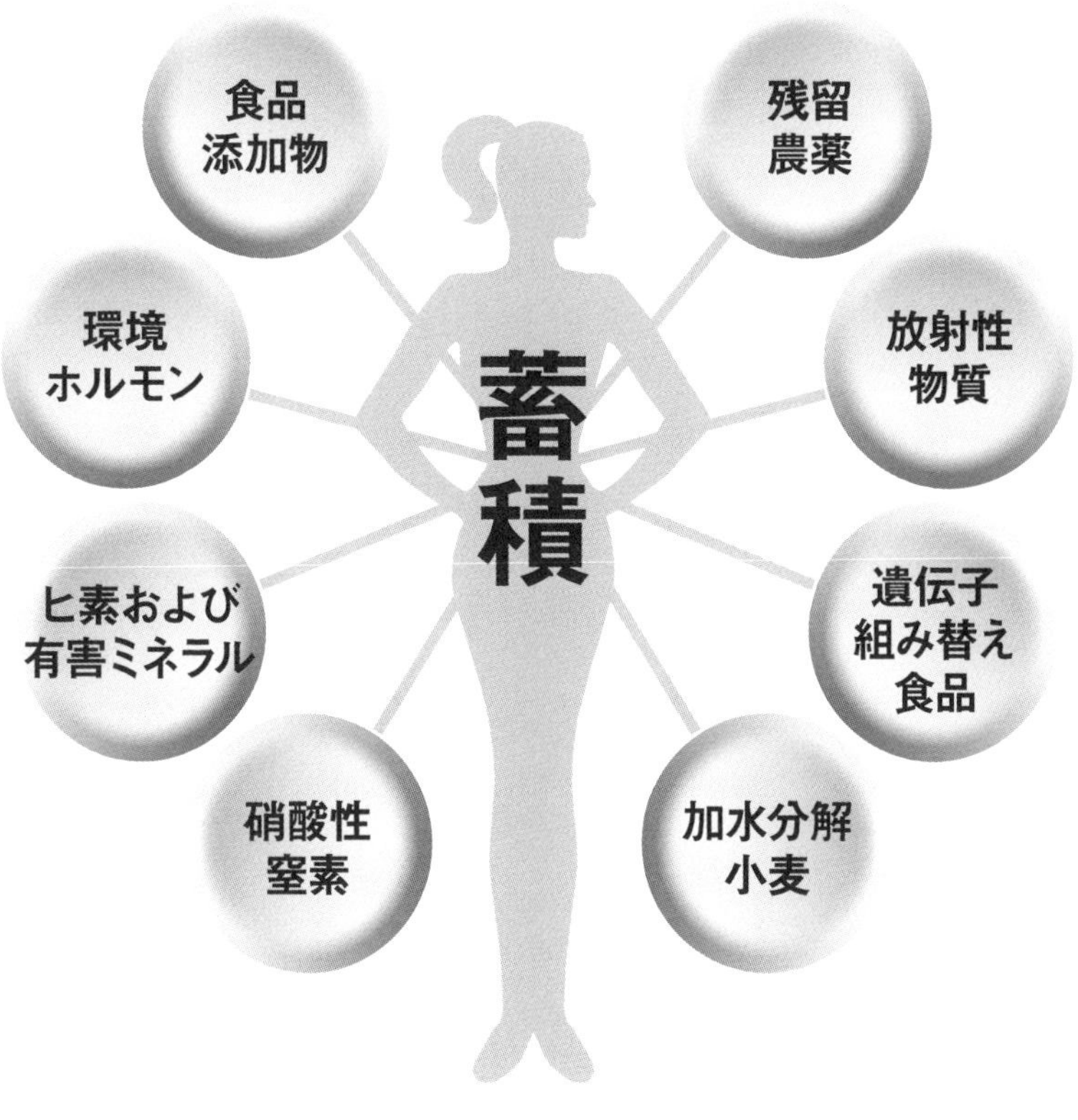

はじめに……2

第一章

空腹は最高のアンチエイジング！……19

第二章

第三章

第四章

第五章

第一章

空腹は最高のアンチエイジング！

現代人は食べ過ぎている!

現代は基本、1日3食が当たり前になっています。厚生労働省のホームページにも「バランスのとれた適切な量の食事を心掛けるとともに、食事をする時間や食べ方などにも注意し、1日3食規則正しく食べましょう」と書かれています。

1日3食規則正しくの考え方のベースは、1935年国立栄養研究所の佐伯矩医学博士が次のように提唱したことがきっかけでした。

「日本男子が一日に必要とするエネルギーは2500~2700キロカロリー、3分割しバランスよく食すること」。

1日3食が当たり前の食習慣は、まだ100年もたっていなかったのでした。

1935年といえば、まだ戦前。洋食文化はさほど一般的ではなく、庶民の食卓はご飯・味噌汁といった和食が中心だったことでしょうね。

それから、戦争がはじまり、やがて戦後を迎えることになるのですが。戦後、欧米の食文化が一気に広がったあたりから、がん、糖尿病、肥満といった生活習慣病が増えてきたのです。

人類が誕生したのは、およそ４００万年前。誕生から近代に至るまで、私たち人間は長い間、飢餓との戦いでした。

なので、私たちの身体は、十分な栄養素が無くても飢餓を生き残るよう進化していったのです。つまり、人間は飢餓が当たり前で、飢餓に対応するのが得意ってことなんです。

そう考えると１日３食は食べ過ぎ。血糖値が低い時、値を上げるホルモンは沢山ありますが、高すぎる血糖を下げるホルモンはインスリンたった１つ。

このように私たちの遺伝子は飢餓への対策は持っていても、食べすぎや栄養過多に関する対策はなく、つねにお腹いっぱいの状態は、実は不自然で負担なことなのです。

飽食の時代と言われている現代。3食どころか、いつでもどこでも簡単に美味しいものが手に入ります。

食事は本来、生きるためのものでしたが、今では楽しみのために食べることが多いですよね。その結果、私たちは肥満やがん、糖尿病といった生活習慣病に悩まされることになりました。

楽しみのために食べる。それは、栄養過多だけではなく、偏食も問題になってきます。ファーストフード、加工食品、カップ麺、スイーツ。

これらの食品は、空腹は満たされ、カロリーは摂れるかもしれませんが、細胞の入れ替えやエネルギーを作る元となる本当の意味での栄養、ビタミン、ミネラル、食物繊維はほとんど摂れません。

満腹なのに栄養不足という、パラドックスに陥っているのです。

では、このようなパラドックスが、身体にどのような悪影響をもたらすのでしょうか？

真っ先に思い浮かぶのは「消化不良」。食べたものの消化は、胃と小腸で行われています。

消化にかかる時間は案外長く、胃の中で約3～5時間、小腸の中で約5～8時間、胃に食べ物が入り、肛門から排泄されるまで最長で約40時間かかると言われています。脂やタンパク質の多い食事だと、さらにもっと時間が必要とも。

つまりは1日3食だと、消化が追いつかず、腸内に老廃物や有害物質がたまります。

現代社会はただでさえ、食品添加物、残留農薬、有害金属、環境ホルモン、遺伝子組み換え食品、放射性物質、硝酸性窒素など様々な有害物質が蔓延しています。

消化しきれなかった食べ物もまた、腸内で腐敗し汚れが血液に取り込まれ、体中を巡ることに。すると、これら有害物質や腐敗物質は、活性酸素を発生させ、血管や細胞を傷つけ免疫系にダメージを起こします。

また、興味深いことに、ダイエット経験者ほど隠れ脂肪肝になる確率が高いといわれています。これは、「～だけ食べる」または「ダイエットサプリ」だけに頼るなど、極端に栄養素を抑えることが原因です。

過食・偏食は良くない、でも、必要な栄養素はしっかり摂らないと、むしろ太るという典型ですね。

このように、脂肪をエネルギーに変えるためにも、髪やお肌の若々しさを保つにもタンパク質・ビタミン・ミネラルは必要です。

過食・偏食を正し、必要な栄養素はしっかり摂る。これこそが、まさに本当のダイエット。自己流ダイエットは、美しさ、若々しさを損なうだけでなく、やがては健康そのものを脅かすことになっていくのです。

「プロラボ式　朝だけファスティング」は、栄養療法をベースにしたファスティング法。自己流でリバウンドを繰り返してきた方にこそ、実践して欲しいダイエット・メソッドなのです。

食が病気を作るなら、病気を治すのも食

世間には溢れんばかりのダイエット情報が流れています。テレビ、雑誌、インターネットを開けば、嫌でも「ダイエット」の文字が目に、耳に飛び込んできます。それだけ、皆さん痩せたいと願っている証ではありますが。私は内面美容医学財団という協会で、美容健康に関するセミナー講師を務めています。

ダイエットをテーマにしたセミナーで必ず聞かれるのが「情報があり過ぎて、何を選択したらいいのかわからない。どれが正解ですか」という質問。

私はそのたびにこう答えます。「まずは朝だけファスティングから始めてください」

と。
インターネットで自由に発信できる現代、間違ったダイエット法どころか危険なダイエット法まで出回っていることに、危機感を覚えます。

間違ったダイエットはリバウンドに繋がるのはもちろん、繰り返すことで「痩せにくい身体」を作ってしまうのですから。

ダイエットはハッピーになるためにするもの。なので、間違ったやり方を繰り返すのは、とんでもないこと。痩せないだけでなく、健康を損ねてしまいます。

先ほども書きましたが、自己流ダイエットで脂肪肝になってしまった女性が最近増えています。脂肪肝は放置すると、肝硬変や肝臓がんなどの病を引き起こすのです。

本来ダイエットとは、健康でいる為のベースであり入口。ファッションや流行っているからという理由で行うべきではないと考えています。

こうして、本書を書いているのも、間違ったダイエットで健康を損ねて欲しくないという思いからでした。

断食やファスティングも、本来は代替療法として行われてきた健康法なのです。その歴史は古く、一説では、最初に断食の健康効果を唱えたのは古代ギリシャの医師ヒポクラテス（紀元前４６０年〜紀元前３７０年頃）だと言われています。

ヒポクラテスは近代医学の礎を築き、「医学の父」「医聖」とも称されています。その医学の父が残した言葉の中に

「食べ過ぎてはいけない。むしろ腹の中をすっかり空っぽにしてしまった方が良いこともある。病気の力が最高潮に達しない限りは、空腹のままでいる方が病気は治るものだ」。

この他に「もともと人間は、病気を治す力を備えている。医者はその力が充分発揮できるよう、手をかしてやるだけでよい。もし肉体の大掃除がなされないまま、食べられるだけ食べると、その分からだの害になる。

病人にあまり食べさせると、病気の方まで養っていくことになる。すべて度を越

すということは、自然に反することだ、としっかり胸に刻んでおくように。」という言葉も残しています。

なんと2000年以上も前から、食べ過ぎが病気の元と説いていたのです！

日本ではかつて、断食が治療に活用された、公害事件がありました。九州地方の方だと、耳にしたことがあるかもしれません。

それは1968年に起きた「カネミ油事件」。カネミ倉庫（北九州市）が製造した食用油に、誤ってポリ塩化ビフェニール（PCB）から出るダイオキシンが混入され、多くの被害者を出しました。

皮膚や肝臓、神経が侵され、なんと胎児にまで影響が及ぶという中毒症状に、医療現場は大混乱をきたしていたそうです。今の新型コロナウイルスみたいな感じですかね。

多くの治療が効果を出せない中、今村基雄博士が指揮を取り行った断食療法で神経障害は95・6％が改善、皮膚障害は83・0％が改善したとされています。

当時の新聞の見出しでは「PCB中毒　断食療法で体外へ　ほぼ9割に効果」と大々的に報じられました。

なぜ、断食がこれほど高い効果を出したのかについて、今村博士は次のような談話を発表しています。

「PCBが体内に入ると体脂肪と固く結合して、どんな薬を使っても体外には排出されない。ところが絶食すれば、まず体脂肪が燃焼するので、脂肪組織と結合していたPCBが、遊離して血流中に出て肝臓を通り体外に排出される。

絶食すればPCBは血流中に出てくるので、その濃度を測定するのだが、「患者を測定した結果」予想どおり絶食前に比して、絶食中と復食七日目には著しく血中濃度が高くなっている。」（1994年　一橋大学研究年報・社会学研究より）

断食が、デトックスに有用なだけでなく、脂肪分解効果があることにも言及しています。

大変興味深いエピソードですが、カネミ油事件収束とともに断食も、いつしか世間から忘れ去られてしまったのでした。

難病を克服したものの、ダイエットとして断食が注目されなかったのは、「断食」があまりにも修行色が強く、高度成長で消費が加速していた当時の日本でウケなかったからではないかと、推測しています。

さて、代替療法としての断食＝ファスティングは日本では主流になりませんでしたが、ロシアやドイツには、治療として患者に断食を行う病院があります。アメリカでもがん治療をサポートするのに断食を取り入れている医療機関があるのです。

ちなみにドイツにはこんな諺があります。

「断食で治せない病は、医者でも治せない。」

事実、公的医療機関であるベルリン大学付属病院では、断食療養の専用フロアがあり、リウマチ、肥満、心疾患などの治療が行われています。断食で治せない病は、医者でも治せないということは、逆に「食が病気を作る」とも言えるでしょう。

何を食べて、何を食べるべきでないか。

私は、現在「健康寿命を延ばす」という理念を掲げ、食育の啓蒙をしておりますが、元々は偉そうに食事のことを語れる立場ではありません。父の仕事の関係で15歳から18歳までアメリカで過ごした私は、アメリカ時代も日本に戻ってからの学生時代もザ・ジャンキー。コーラ以外飲み物じゃない。ファーストフード大好き。大盛りが当たり前といった感じで、今の私を知っている人からすると、信じられないような食生活でした。

ところが、ある日突然。本当に突然、右目が少しボヤっとしはじめたのですが、コンタクトの調子が悪いのかな?とあまり気にかけず。

ただいつまで経っても良くならないので、まぁ一応病院で診てもらっとくか!と気楽な感じで近所の医者に診てもらったところ…

「これは大変だ‼すぐに大学病院に行きなさい‼失明するぞ‼」

診断の結果、重度の網膜剥離であることがわかり即日手術。その後、4度の手術を繰り返し、院内感染など色々とありながら4ヶ月にわたって入院しながらも、ほぼ右目は使い物にならなくなってしまいました。

病院での様々な処置を考えると、腹立つ部分もありますが、目が見えなくなったおかげで、健康のありがたさ、予防の大切さに気付くことができました。

もし、網膜剥離にならずに、ジャンキーな食生活を続けていたら、もっと大きな病気にかかっていたかもしれませんね。

病気をきっかけに、食の大切さを知り、今の会社に入社してから、その道のプロに触れ、学び、身体のことや栄養のことを人に語れるまでに成長しました。

そんな私が、食事について思うことは「食事とはお腹を満たすことではない」ということ。やっぱりお腹は空くし、食べないと生きていけない。これは間違いありません。

じゃぁなんで食べないとダメなのか？ここをちゃんとわかっておかないといけないわけですよ‼

皆さんに考えてもらいたいこと。「その食事は身体に必要なものか？」食事が栄養のためだけなんてつまらないことを言うつもりはありませんが、お腹を満たすためだけに食べている人が多いのも事実。

何のために食べているの？どうしてそれを食べるの？身体に必要なの？

健康についての知識を深めていき、内面美容、予防医療、統合医療など学べば学ぶほど痛感するのは、情報不足による病気がありえないくらい多いということ。

私は、医者ではありません。しかし、医者ではないからこそ、皆さんと同じ目線で、わかりやすい言葉で、学んだことを伝えていくだけで、多くの人の力になれると信じています。

※参考文献　嶋崎隆氏（一橋大学名誉教授）執筆　一橋大学研究年報１９９４年社会学研究「断食の思想と科学」―飽食の時代を考える―

恐怖、白い悪魔

健康に関心のある方ならすぐに思いつく白い悪魔。そう、それは白砂糖。皆さんも白砂糖の怖さはいろいろ聞いたことがあるのでは。

そもそも白砂糖とは?というところからスタートをすると、白砂糖の主成分は「ショ糖」という糖質。

糖質も大きさや性質によって種類がいろいろ違いますが、糖の中でも一番小さな単位が「果糖」や「ブドウ糖」。この2つが繋がると「ショ糖」となり、白砂糖はほぼ「ショ糖」だけで構成されています。

サラサラ使いやすく、雑味もない白砂糖はショ糖の塊。一見、優しそうな感じですが、このショ糖の塊こそが諸悪の根源なのです！

問題はたくさんありますが、とりあえずわかりやすいものが4つ。

1．酵素不足
2．超高GI
3．栄養価値ゼロ
4．やめられない
番外　太る

まず「酵素壊滅問題」。人間にとって糖質は決して100％悪ではありません。果糖もブドウ糖も必要な栄養素です。でも、この二つ、くっついてしまうと少し厄介。二つの糖質は非常に固く、分子同士がつながってしまうため、なんと腸の中でいつまでたっても、くっついたままなのです。要は「消化されにくい」ということです。

こんなものを体に入れてしまったら、人の体内に限られた量しか存在しない酵素が、ガンガン使われてしまいすぐに枯渇してしまいます。

その上、栄養価値はゼロ！なぜならば、白砂糖はどんなに食べても「果糖」と「ブドウ糖」しか入っていないのですから。現代の食生活で、この2つが足りていない人なんていると思いますか？まず、いませんよね。

糖だけ体に入ってきて、結果的にほかの栄養はスッカスカ。栄養価値の無い糖を燃やすために「ビタミン」「ミネラル」がバンバン使われて、体はどんどん栄養不足に…。

本来食事は「栄養を取り入れる」ためなのに、白砂糖によって「栄養が失われる」って…。さらに悪いことに、これだけの糖の塊は、身体に入った瞬間、あっという間に血糖値を上昇させてしまいます。そりゃそうです。邪魔するものが何もいない、糖の塊ですから。

血糖値の急上昇は、老化の原因「糖化」につながり、体中がボロボロ焦げていきます。消化に負担がかかる割に、栄養は摂れないわ、体を老化させるわ。

おまけに、白砂糖は依存性が非常に高いのです。なぜかというと「血糖値が上がることは快楽」と人の脳は覚えてしまっているから。甘い物は別腹とは、まさにこのことだったのですね。

狩猟民族時代、糖質は貴重なエネルギーでした。だから、積極的に糖質を摂取するために「糖は快楽」と人のＤＮＡは覚えてしまったわけですね。

ですが現代人は圧倒的に「糖過多」。だからといって、ＤＮＡはそう簡単に追いついてくれはしませんので、あと数十万年は「糖は快楽」のままでしょうね。

わかります？

食べると酵素壊滅

食べても栄養価値ゼロ

食べると老ける・・・

なのに、また食べたくなってしまう

何ということでしょう…悪いとわかっていても止められない「ドラッグ」のよう

ではありませんか。まさに「白い悪魔」です。

家で料理をする際は、「白砂糖を使わない」という選択はできるはず。白砂糖はもはや「食品」と思わないでください。

タバコと同じ「嗜好品」。健康を代償として快楽を得るための「毒」と捉えましょう。加工食品や外食は白砂糖がたっぷり入っています。安価で使いやすい白砂糖に世の中は支配されているのです。

白砂糖に関しては糖質制限の話とか、糖の摂りすぎはダメ！とかとはまた違う次元のお話。もちろん糖全般の摂りすぎはよくないですが、「白砂糖」は別格。食が病気を作るの代表選手と思ってもいいくらいです。

もう一つ皆さんに気を付けていただきたいのが「白砂糖シロップ」。先ほど白砂糖は「果糖」＋「ブドウ糖」とお伝えしましたが、「果糖ブドウ糖液糖」という文字、ジュースなんかのラベルに書いてあるのを見たことありませんか？

「糖・糖・糖」1つの原料に糖が3つ！まさに白砂糖のシロップですよね？スポーツドリンクで良く使われていますが、恐ろしい。子供たちの未来が心配です。

ファスティングは、痩せホルモンを増やす！

人は生きている限り、エネルギーを消費し続けています。寝ている間もずーっとです。そして、そのエネルギー源となっているのが、糖質。

生命維持に絶対的に必要なので、体内に入った糖を身体は手放そうとはしません。例え、十分な量があってもさらに貯めこもうとします。この時、貯蓄に一役買うのがインスリン。膵臓から出されるホルモンですね。

ですので、体内には常に糖は存在し、余剰分はすべて脂肪となってしまうのです。使っても、使っても、減らない脂肪。お金なら、ありがたいのですが…。

余った糖質は貯蓄される
使われないまま、次の糖質が入ってくるとさらに貯まる
脂肪が増えて↓太る

言ってしまえば、これが太る仕組み。それゆえインスリンは肥満ホルモンなんて言われ方をされています。

冒頭で、人間の身体は飢餓を前提にしていると述べましたが、まさにインスリンはその代表選手。常に、餓えに備えているわけですね。

糖質をとってインスリンが分泌されるほど、体脂肪が増えていくという仕組み。おまけに、食べ物が消化・分解・吸収している間、インスリンレベルは高いまま。１日３食を続けている限り、なかなか痩せないわけです。

ダイエットで重要なのは、この肥満ホルモン・インスリンをコントロールできる

かにかかっているのです。

インスリンが肥満ホルモンの代表なら、痩せホルモンの代表は何だと思いますか？

それは、成長ホルモンなんです。成長ホルモンは脳の下垂体という所から分泌されるホルモンの一つ。空腹時や睡眠中につくられると言われています。

脂肪を分解し、骨格や筋肉を発達させるのが主な働きですが、食事を摂るとなんと分泌が止まってしまうのだそう。

「若い頃は、いくら食べても太らなかったのに、40歳過ぎたら食べてないのに太る」と嘆く方、けっこういますよね？

これも、成長ホルモンが関係しているのです。成長ホルモンは、文字通り身体を成長させるものですから、分泌のピークは思春期から20代にかけて。

それ以降は減っていく一方なのです。歳を取ると身長が伸びなくなるのも、成長ホルモンが関係していたのです。
ピークを迎えた後は急速に低下し、30代には最大分泌量の50％以下、70歳代では30％以下の分泌量だそう。

成長ホルモンの主な働きは…

1．身長を伸ばす

ＩＧＦ－1という成長因子を分泌して、骨を発達させていきます。大人になると背が伸びなくなるのは成長ホルモンのせい。

2．脂肪を分解する

成長ホルモンは、傷んだり古くなった細胞を修復し再生します。修復の際、脂肪を分解して血中に放出。分解された脂肪は、エネルギー源として利用されます。

3．疲労や怪我からの回復

疲労・破損した細胞を修復・再生。筋肉疲労や、身体のどこかに怪我を負った場合、成長ホルモンがその細胞や組織に働いて、回復させます。

4．美肌、髪のアンチエイジング

成長ホルモンは髪の毛や肌、爪の新陳代謝を助けるとともに、肌細胞に働きかけて、天然の保湿成分やコラーゲンなどの生成を促進します。

5．生活習慣病の予防

これもまた成長ホルモンの重要な作用です。成長ホルモンの修復・再生力により免疫力を高める働きがあります。

ということは、成長ホルモンが減ると…

体脂肪（とくに内臓脂肪）の増加
筋肉の低下
骨がスカスカになる
肌がカサカサする　ｅｔｃ

そうなんです！太るだけでなく、老化現象も成長ホルモンの低下が原因だったのです！減ってしまった成長ホルモンを増やす方法は、ないのでしょうか？

はい、あります。
それが「ファスティング」です。

ファスティングによって脳が空腹を感知すると、体は次第に成長ホルモンの分泌をはじめます。

なら、ずーっと食べないでいれば、成長ホルモンの分泌量が増え、歳をとらない？

なんてことには、なりません。前述したとおり成長ホルモンは細胞の修復・再生を担っていますが、肝心の細胞をつくる材料＝栄養素がなければ細胞や器官は壊れてしまいます。

「プロラボ式　朝だけファスティング」は、酵素ドリンクで細胞の修復・再生に必要な栄養素を摂りながらのファスティング。身体の仕組みを考え健康的に、ナチュラルに痩せることが出来るダイエット・メソッドなのです。

この他に、成長ホルモンを増やすのに効果的なのが、適度な運動。どんな運動でもその効果は期待できますが、追い込み型のハードな運動が効果が高いと言われています。

例えば、ジョギング、マラソン、ウェイトトレーニングは成長ホルモン分泌量が

ファスティングは、痩せホルモンを増やす！

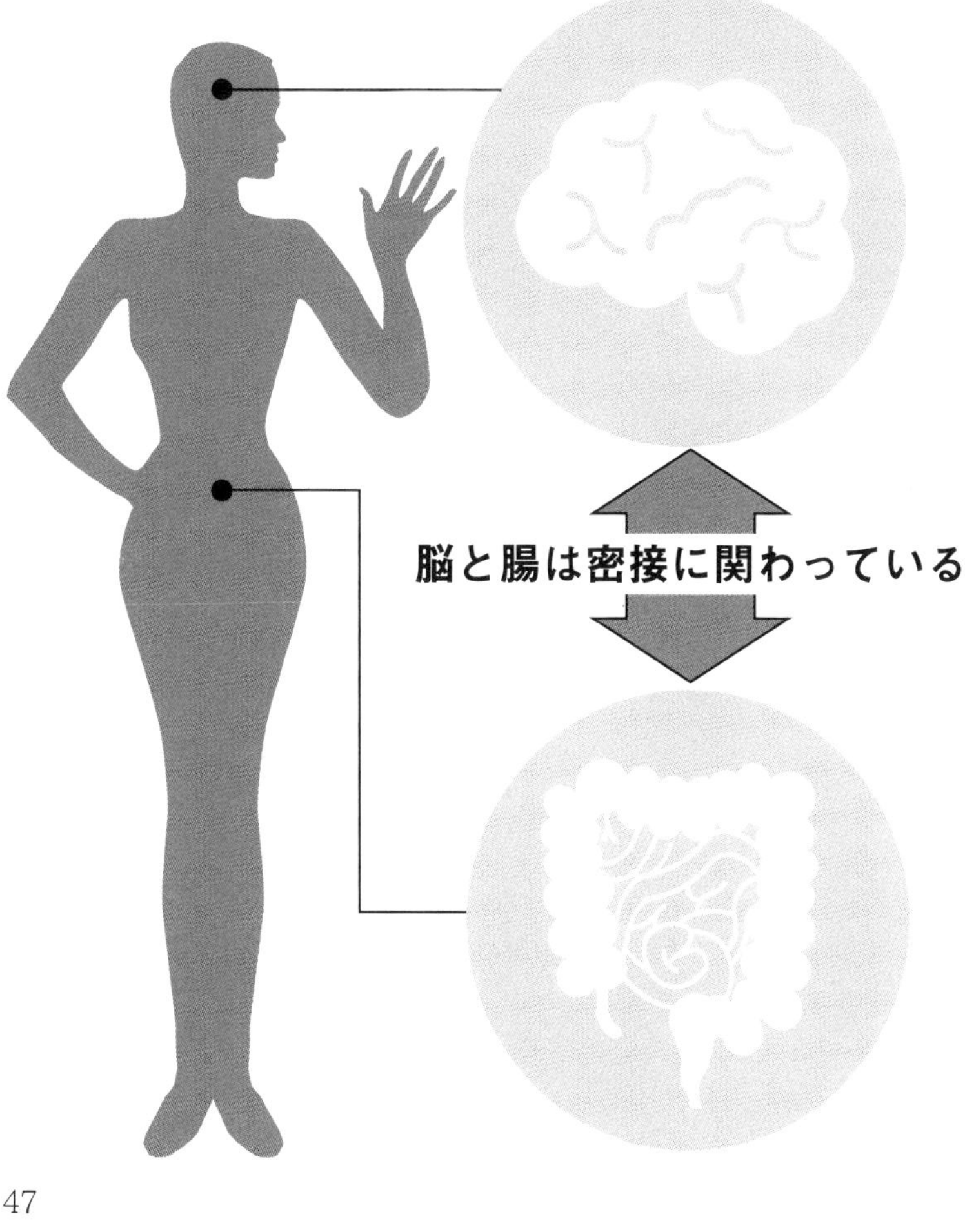

特に多く、運動による消費カロリー以上に体脂肪を減らすことが期待できます。

もう一つ大切なのが、質の良い睡眠。成長ホルモンは、深い睡眠に入ってから30〜60分たつと分泌されると言われています。

また成長ホルモンはメラトニンによっても分泌が促進されるので、メラトニンの分泌量が多くなる深夜1〜3時に深い眠りに入っているのが理想的。

ハードなトレーニングはともかくとして、ファスティング・質の良い睡眠を習慣にすることで痩せホルモンが増え、幾つになっても痩せやすい身体が維持できるようになるのです！

SPECIAL INTERVIEW

アンチエイジングのプロフェッサー松山夕稀己先生に訊く「予防医学とファスティング」

ゲスト　グランプロクリニック銀座　常務理事
松山　夕稀己　先生

［プロフィール］
グランプロクリニック銀座　常務理事
子供のアトピーをきっかけにハワイに移住し、テキサスのトリニティ大学でPh.D. 臨床心理博士号を取得。
専門分野は予防医学や先進医療、抗加齢、細胞の若返りなど。1995年より、アメリカ最大の若返り治療医学会（A4M）に所属。ハワイ大学医学部アトピーケア研究所の室長を担当。栄養学と心理学を中心とした診療をしながら、精力的に予防医学の普及に務める。

16時間のファスティングが理にかなっているワケは

アメリカでファスティングは、がん治療の一つとして当たり前のように取り入れられています。がんは糖質を好むというエビデンスがあるから、進行を抑える目的で行われています。だったら糖質制限だけでいいじゃない？と思うかもしれません。

でも、免疫全体を高めるなら、よりファスティングの方が効果的なのです。その理由の一つがオートファジー。

古くなった細胞を、新しく生まれ変わらせることで知られるオートファジーは空腹が一定時間続くことで、はじめて発動するのです。その時間は16時間。

16時間空腹でいることが、オートファジーを機能させる条件なのですが、長期間の断食は逆効果。

というのも、最近の研究で明らかになったのは「mTOR」（エムトア）と呼ばれるタンパク質の存在。実はオートファジーを起動させるのはエムトアということがわかりました。そして、エムトアを作るのに必要なのはタンパク質。

つまり、食べ過ぎはダメだけど、極端に食べないのもダメということ。なので、毎日16時間のファスティングはとても理にかなっている健康法なのです。

生理が始まったらファスティングを習慣づけて欲しい

ファスティングの一番の目的は、内臓を休ませること。疲れ切った内臓では本来の機能をフルに活躍させることが出来ません。

特に肝臓はデトックスの重要な器官。ただでさえ忙しい肝臓を過食や偏食で疲弊させてしまうと、肝機能は低下し本来解毒されるべき老廃物や有害物質は蓄積されたままに。

有害物質が溜まったままでは、腸を汚しホルモンや免疫細胞が作られないだけでなく、脳にも悪影響を及ぼします。

だからでしょうか、アメリカではこんなことも言われています。「頭の良い子はファスティングを理解している」と。ファスティングは子供からお年寄りまで、誰もが手軽に実践できる健康法。私が特にお勧めしたいのが妊娠前の女性。というのも、お産は最高のデトックスと言われるほど、子宮は有害物質を溜め込みやすいのです。

妊娠がわかってからデトックスをするのでは、遅すぎます。気づくまでの3カ月〜4カ月もの間、胎児は子宮内の有害物質にさらされてしまうのですから。

今、子供のアトピーや発達障害が増えているのも、胎児の頃の汚染が原因と言われています。いずれ生まれてくる赤ちゃんのためにも、結婚と同時に、出来るなら生理が始まったらファスティングを習慣づけて欲しいものです。

ファスティングそのものにルールはない

繰り返しますがファスティングの目的は決して一つではありません。「痩せたいから」「病気を予防したいから」「健康な赤ちゃんを産みたいから」「長生きしたいから」等々。ファスティングをはじめる動機は人それぞれで構いません。大切なのは「固形物を食べない時間をつくる」こと。

自分の目的に合わせて、医学的に臓器を休ませるのがファスティングです。朝だけファスティングでは8時間の睡眠時間を含めての16時間ファスティングなので、朝固形物を食べない、20時前に夕食を終えるという、とても手軽に実践できるメソッドになっています。ですが、仕事や環境によっては朝抜くのが難しいケースもあるでしょう。ならば、昼を抜く、夜を抜くでも構わないのです。

16時間が18時間、20時間だってOKです。朝だけファスティングに慣れてきたら、まるまる1日抜いてしまうというのもありです。

大事なのは、空腹の時間を作ることで内臓を休ませること。それぞれのライフスタイルに合わせて行ってください。そして、アンチエイジングのために、病気の予防のために、若々しいボディのために、ぜひファスティングを習慣にしてください。

第二章

朝だけファスティングは、なぜ痩せられるのか？

オートファジーのスイッチを入れる

人類の歴史は、そのほとんどが「飢餓」との戦いでした。私たち人間を含むすべての生物は、進化の過程でこの飢餓状態に適応し、生き抜くためのメカニズムを遺伝子レベルで作ってきたと考えられています。

ですが戦後の日本は、人類史上かつてないほどの「飽食の時代」。身体が食べ過ぎに追いついていないのが現実。

がん、脳血管疾患、心血管疾患、糖尿病等「生活習慣病」と呼ばれる病気のほとんどは「食事」が原因。生活習慣病とは「食源病」でもあるわけです。

体内では身体を常にベストな状態を保つために、いろいろな種類のホルモンが働いているわけですが、血糖値を下げるホルモンがあれば、逆に血糖値を上げるホルモンもあって、それらのホルモンが常に拮抗しながら、生命を維持していくのです。

このように体内環境を一定の状態に維持しようとする働きは「恒常性＝ホメオスタシス」と呼ばれています。

●暑くなったら汗をかいて、体温を36度程度に保つ。
●暗い場所では瞳孔を開く。
●体内の塩分濃度や水分などを一定に保つ。

これらもまたホメオスタシスによるものでした。

例えば、第一章でもお伝えしましたが、血糖値を下げるインスリンもホルモンの一つ。ダイエットの最大の敵とされている「血糖」は本来、私たちが生きていくのに必要なエネルギー源。

身体にとって、血糖値が下がってしまうのは生命の危機を意味します。

そのため血糖値を下げるホルモンはインスリンしかないのに対し、血糖値を上げるホルモンは成長ホルモンやコルチゾールなど、何種類も存在しているのです！

私たちの身体が、いかに「空腹」を前提に作られているのかが、わかりますよね。

「空腹」が前提のホメオスタシスはホルモンだけではありません。最近よく耳にする「オートファジー」も、また飢餓状態を生き抜くための生体反応です。

２０１６年に大隅良典博士がノーベル生理学・医学賞を受賞したことで、世間に知られるようになった「オートファジー」とは、一体どのような仕組みなのでしょうか？

細胞のリサイクルシステム。それがオートファジー。

オートファジーの「オート」は「自己」で、ファジーは「食べる」（どちらもギリシャ語）。なので「細胞の自食作用」と訳されることが多いようです。

その働きをシンプルに言うと「細胞の中のリサイクルシステム」。空腹の時間が長時間続くと突然、掃除機が現れます。

そして古くなったり壊れたりしたタンパク質やミトコンドリア等細胞のゴミをいきなり食べ始めるのです！

あらかた食べ終えると、今度は「食べたゴミ」から「タンパク質」を作ります。凄くないですか？ 身体が飢餓を感じると、身体の古い場所を分解し栄養に変えてしまうなんて！

しかも、オートファジーは、細胞内に存在する「ミトコンドリア」の入れ替えも行ってくれるのです。

ミトコンドリアは食べものから得られる栄養と、呼吸によって得た酸素を使って、ＡＴＰという生物が活動するうえで不可欠なエネルギーを作り出します。

ＡＴＰは別名「生物のエネルギー通貨」。新しく元気なミトコンドリアが細胞内にたくさんあればあるほど、脂肪を消費してくれ、どんどんエネルギーを作ってくれるというワケです。

細胞のリサイクル&清掃&ミトコンドリアの活性化&エネルギー代謝のアップ。

オートファジーがもたらす恩恵は、計り知れません。

オートファジーがしっかり機能している限り、スリムで若々しい身体でいられるのです。

身体にとってイイこと尽くしのオートファジー。常に頑張ってもらうにはどうしたら良いのでしょうか？

実は、残念なことにオートファジーは「満腹」だと働かないという習性があるのです。そもそも、オートファジーは、体や細胞が強いストレスを受けた際にも生き残れるよう、体内に組み込まれたシステムです。

したがって、細胞が飢餓状態になったときにこそ、働きが活発化します。大事なことなので何度も言いますが「私たちの身体は飢餓を前提に作られている」ので、「空腹」は得意ですが、「満腹」に対応できません。

具体的にはオートファジーは、最後にものを食べてから16時間ほど経過しなければ働きません。つまり、16時間の「空腹の時間」を作らないかぎり、オートファジーのスイッチは入らないのです！

睡眠時間8時間を除けば、たった8時間のファスティング！

「16時間何も食べない」ことに抵抗を覚えるかも知れませんが、考えてもみてください。寝ている間の8時間は、何も食べていないのです。

「朝食」を英語に訳すとＢＲＥＡＫＦＡＳＴ（ブレックファースト）になりますが、この言葉の意味は、ＢＲＥＡＫ＝壊す、ＦＡＳＴ＝断食。

夜眠っている間は食事をしない断食状態を、朝食を食べることで壊す＝「断食を壊す」が語源なのです。ということは…

睡眠時間8時間プラス前後で合計8時間。

空腹でいればオートファジーは機能してくれるのですから。

結構ハードル、低くないですか？

16時間は時間にすると「長い」かもしれません、ですが睡眠時間とうまく組み合わせることで、無理なく実行できるのでは。

例えば、「睡眠時間は8時間」という方であれば、睡眠の前後合わせて8時間、食べずに過ごせば16時間ファスティングになるわけです。

しかも、プロラボ式　朝だけファスティングの一番のポイントは「酵素ドリンク」

を飲みながらのファスティング。

エネルギー代謝に必要なビタミン・ミネラルはしっかり摂るので、意外なほど空腹感はありません！

細胞が「栄養は足りている」と認識すると、脳は空腹を感じない。これもまた身体の自然な仕組み。

ちなみに空腹を感じさせるのもホルモンが為せるわざ。空腹になると胃から血液に「グレリン」というホルモンが分泌され、グレリンが脳に作用することで、食欲が刺激され、空腹感が生まれるのだそう。

つまり「お腹が空いた」という感覚は、血液中に分泌された「グレリン」が脳を刺激することによって生まれるのですね。

逆に言えば、グレリンがおとなしくしていれば、空腹は感じないのです。プロラボ式ファスティングに成功者が多いのは、酵素ドリンクを飲むことで、グレリンを満足させられることも一因かもしれません！

プロラボ式　朝だけファスティングのルールは簡単！

例えば、夜8時に夕食を食べたとして、次に食事をするのは昼の12時。朝、固形物は食べないで、酵素ドリンクだけ飲みます。

大事なことはただひとつ。16時間、消化を止める時間を作ること。ただ、それだけです。

そもそもですが、前にも話した通り、1日3食の習慣がはじまったのはわずか80年前。それ以前は1日2食が普通だったのです。

不自然な食生活を、できるだけ無理なく「酵素ドリンクを飲みながら、消化をしない時間」を作ることで

●胃腸や肝臓などを休ませる

●消化に使うエネルギーを、脂肪燃焼に使う

- **●腸内環境を改善**
- **●オートファジーのスイッチを入れる**
- **●自律神経をリセット**

これらにつながり、食べ過ぎが身体に与えていたダメージをリセットし、細胞を内側から蘇らせてくれるのです。

IN OUT。溜めこんだままでは痩せられない！

プロラボ式　朝だけファスティングの目的はダイエットだけではありません。本当に目指したいのは、体内クレンジング。いわゆるデトックスですね。

私たちの周りには、有害物質が溢れています。食品添加物、残留農薬、有害金属、遺伝子組み換え、放射性物質、抗生物質、硝酸性窒素…。身近にあるものを上げただけでも、こんなに！

これらは元々自然界には無かった物ばかり。

中でも食事から摂り入れてしまう、食品添加物はどんなに気を付けていても、一人当たり年間４kg～８kg摂取してしまっているとも…。

本当ならば、人間には解毒機能が備わっているので、これら有害物質は肝臓や腎臓で解毒され、汗や便、尿とともに自然に体の外に排出されるはず。

ところが、現代の生活だと余りにも取り込んでしまう有害物質が多過ぎて排出しきれず、毒素が体の中に残り、日々蓄積されてしまうことも多いのです。

また恐ろしいことに、日常生活の中に潜んでいる様々な有害物質の一部は、環境ホルモンとも呼ばれ、体内のホルモンをかく乱させることがわかっているのです！

自動車の排気ガス等からでるダイオキシン、酸性雨やＰＭ２・５や黄砂などがそれにあたります。

適度な運動もして、食事も気を付けているのに、痩せないのはなぜか？

そんな時は有害物質を疑ってみてください。有害物質が体内で過剰になると、正常なホルモンの働きが阻害され、代謝をコントロールするホルモン分泌が減少し、むくみや肥満を引き起こす原因にも。

さらに、解毒が間に合わないとなると、食品に含まれる微量の有害ミネラル（水銀・ヒ素・カドミウム・鉛など）や残留農薬、食品添加物、トランス脂肪酸を排せつできず、やがては体内毒素となってしまいます。

厄介なことに、体内毒素は脂肪にたまりやすく、特に女性は子宮や乳房、腸に多く蓄積されるのだとか！

ひと昔前と比べ、子宮や卵巣の病気になる人が増えています。なかでも子宮内膜症は近年とくに増えてきた病気の一つ。また、機能的に問題はないのに、不妊というケースも著しく増加していると言われています。

その原因はまだハッキリとわかってはいませんが、体内毒素の関係も見逃せません。というのも、アメリカでは不妊治療として有害物質を除去するキレーション療法が定番化しているからです。

体内毒素による悪影響は健康だけではありません、腸にも及びます。先ほど一人当たり８kgほどの食品添加物を摂取していると述べましたが、これが腸に相当負担となっているのです。

腸は身体の入口なので腸の中の毒素は血液に入り込み、全身の細胞を汚していきます。毒素が吸収されてしまうと、エネルギー代謝に必要な酵素の働きを邪魔し、体脂肪が燃えにくくなり、痩せにくくしてしまうのです。

さらには毒素自体が活性酸素を発生させ、正常な細胞をサビさせるなど美容にも大きく影響します。百害あって一利なしの体内毒素。いくら気をつけても、日常生活の中で有害物質を完全にシャットアウトすることは不可能です。

そこで、痩せるためだけでなく健康のためにも、身体の入口となる「腸」をキレイにすることが最優先。

食べたものをきっちりと消化して吸収する「完全消化」が必要条件。溜めこんだ毒や日々取り込んでしまう有害物質をファスティングによって積極的に「出し」、完全消化できる身体であることが、現代に生きる私たちに求められる健康法なのです！

毒を出したら、身体が面白いように変わる

一度、ファスティングで身体から毒素を追い出してみてください。たった1回でも、さまざまな変化が実感できますから。

どのような変化かは個人差がありますが、体験者に聞くと多くの方が「肌に透明感が出た」「便秘が解消した」「睡眠の質が良くなった」「身体全体が軽くなった」「気力が湧いてきた」「勝手に痩せ出した」という方がほとんど。

これは身体の中から、毒素が取り除かれたことで、血液の流れがスムーズになり、細胞の隅々まで栄養や酸素がしっかり届けられ、代謝が正常になったことの表れではないでしょうか。

細胞が元気になれば、当然免疫力や自然治癒力も高まり、自らの力で不調を修復してくれるようになります。

逆に、毒素を溜めこんだ身体のままでは、毒素が栄養の吸収を阻害してしまい、いくら美容や健康のために、栄養価の高いサプリメントやダイエットを頑張ったところで、あまり成果は期待できないのです。

効率よく栄養を吸収して脂肪の燃えやすい身体にするには、まずは体内にたまっている毒素を追い出す事が大事。

腸にも働き方改革を！

例えば、汚れたコップに濁った水が入っていたら。それ、飲めますか？怖くて、飲めませんよね。まずは濁った水を捨て、コップをしっかり洗ってから、新しい水を入れて、はじめて飲めるのではないでしょうか。

つまり、ファスティングとは、こういうことなのです！ファスティングが身体に良いのは、デトックスだけではありません。

人間が一日に使うエネルギーのうち、約80～90％が食べ物の消化に費やされるといいます。それほどの重労働を、腸に強いているのです。

なので「腸にお休みを与える」という意味でも、ファスティングは身体への働き方改革になります。

特に「プロラボ式　朝だけファスティング」は主に野菜や果物、キノコを自然発酵させた植物発酵飲料を飲みながら行います。

脂肪をエネルギーに変えるのに栄養素は必要です。単に食べないだけのダイエットは一時的に痩せはするけど、食べたらすぐもとに戻ります。

さらに、恐ろしいのは無理なダイエットを繰り返していると、人の身体は飢餓に対抗する為、代謝を落とし「痩せられない身体」になってしまうこと。

ですから身体が必要とする最低限のカロリーやミネラル・ビタミンを補給することは、とても重要なのです。

本当のダイエットとは代謝を落とさず、無理なく長く続けられることが大切なのです。

その点でも、プロラボ式　朝だけファスティングが身体の仕組みを利用した理想的なダイエットでもあるのです！

プロラボ式　朝だけファスティングを習慣にすることで、腸に「良いものを入れ」そして、腸から「悪いものを出す」ことができます。

そして、代謝が関わる「細胞の入れ替え、再生、解毒、排泄」のすべてがスムーズになって、年齢を問わずいつまでも健康的で美しい身体を保つことができるのです。

■消化不良は心も身体も壊す⁉

今、腸が疲れている人が非常に多く、その主な原因は食べ過ぎです。1日3食もしくは間食を入れるとそれ以上の食事という食習慣は、腸の立場で考えると、一日中働き続けなければならないということ。

働き続けると疲れるように、内臓も常に働いている状態では疲れてしまいます。疲れが蓄積され続けると、腸の機能が低下し腸内環境は悪化し、様々なトラブルを引き起こすのです。

腸内環境を良好に保つためにも、「腸の疲れ」をとることがとても重要であり、腸を休養させることが必要です。

また腸内環境を悪化させる原因の一つに便秘があります。現代女性の6割が便秘に悩んでいると言われています。

最低でも1日1回排便がなければ便秘とされることが多いのですが、最も多いのが、腸の動きが弱くなり、排便は毎日あってもお腹に便が沢山残っている隠れ便秘。

このタイプの人は、食べたものが腸に入ってくることで先に入っていたものが押し出されるため、1日1回排便はあるので、本人は便秘という認識がありませんが、実は腸内には、本来すぐに排泄しなければならない便という名の生ゴミがいつまでも残ってしまい、腸内で腐っていきます。

人の体温は37度。そんな温かい場所に生ゴミを放置していたら、どうなるか…。考えただけでも、怖くないですか？

腐った便が、腸の中に滞在し、誤って吸収されてしまえば、腐敗によって発生した毒ガスが血液を通して体中に巡り、やがてそれが血管の炎症を引き起こすことに…。

消化不良は美容に悪いどころか、最悪、命を脅かすことにもなりかねないくらい怖いことなのです。

排便がない、排便があるが腸内に沢山の便が溜まっている、どちらの便秘を改善するにしても、腸に入っている物を出し、腸をキレイに保ち「腸の休養」は必要です。

免疫もホルモンも腸で作られる

外から食物を摂取し、栄養を摂り入れるために働く腸は、栄養と一緒に悪いものが外から入りやすい、とても過酷な環境にあります。

小腸の粘膜は、栄養素を取り込みやすい様に大変薄いため、ウイルスや有害物質など体に良くない物質も入っていきやすいのです。

腸内環境が壊れていると、ザルの網目の様に腸に穴が開いていて、止めるべきものを通してしまう状態になってしまいます。

現代人の腸は、身体の中に入れたくないものがどんどん入ってきてしまう環境にあり、その不要物は体中の細胞に届けられていきます。

腸には、免疫系の細胞が多数集まっているので、腸内環境が良ければ免疫力は上がり、悪ければ下がります。免疫力が下がれば、病気に対する抵抗力が低下するなど、体調不良をおこしやすくなります。

うつ病など、心の問題を抱える人がとても増えています。脳の神経伝達物質のセロトニンの9割以上は腸で作られていますので、薬でセロトニンを入れて症状を改善させようとしても、腸内環境が悪ければ根本的な部分での改善にはなりません。

逆に、腸内環境を整えることで、うつ病などの心の病を改善できるのです。

食生活を整え、腸内環境を整えて、神経伝達物質を作るための食事をするだけで、うつが良くなったという例も沢山報告されています。

腸内環境を良い状態にすることは、メンタルヘルスにつながっているといっていいのではないでしょうか。

腸に休養を与え、腸内環境を整えることは、身体を整える中で最初にしなければならないことです。そのためにもプロラボ式ファスティングは有効なのです。

ファスティングの正しい定義と意義

ファスティングというと、「単に食を抜くこと」と考えている人もいますが、プロラボ式が提唱するファスティングは、「食べない＝ファスティング」ではありません。

部屋の大掃除をする際に、部屋の中の物をどかし、掃除をして環境を整えてから必要な物を戻すように、「腸内を定期的に大掃除し、環境を整えてから、必要なものを入れていきましょう‼」ということです。

「腸内が汚れている、疲れている人は、腸内に溜まった物を出して腸を休め、疲れを取り、腸内環境を整える‼」ことが、プロラボ式　朝だけファスティングの基本定義。

断食をして体調を崩した経験があり抵抗感がある、食べることが好きで食事を抜くことができない、といった方もいるかもしれません。

ファスティングには、その人に合った様々な方法がありますから、本当ならば、知識のある人に適切な指導を受け、自分に合った方法で行えば、負担なく腸内環境を整えることができるのです。

一番やって欲しくないのは自己流ファスティング。心身の機能を正しく維持する基盤は、その材料となる「栄養素」なのです。骨や筋肉、皮膚や毛髪、あなたの身体は、脂やタンパク質やミネラルから作られ、これらはすべて摂取した栄養素から成り立ちます。

先ほども言いましたが「心」も「身体」も、食べたものが完全消化され、栄養素として身体に入り、はじめてベストな状態を維持できるのです。

単に食べない自己流ファスティングは精神修行としてはアリかもしれませんが、美容健康面からみるとナシです‼

医学的根拠に基づいたプロラボ式ファスティングは、最初は半日、慣れてきたら48時間、3日間など、人それぞれ無理のない期間で行いますが、ファスティングをしたらそれ以外の時は何をしてもいいということではありません。

腸をキレイにして吸収力を高めたら、必要な栄養素を先に入れてから、好きなものを食べていくようにする。

腸内環境が良い状況であれば、多少悪いものを食べても体内に吸収されにくくなりますから、食べ方を工夫することが重要です。

ファスティングを、「食べないこと」にフォーカスするのではなく、身体のこと、食べる物のことをちゃんと考える生活のスタートにしていただき、日常的に身体のことを考えた食べ方をすることが基本です。

食べながらだとうまくいかないメンテナンスの時間として「消化を休める時間を作る」。これらすべてを含めた食生活がファスティングだと考えていただくと、その必要性がより伝わると思います。

知識のある人の指導下で、自分に合った方法でまずファスティングを行い、自分がどのような体調になるのか、身体と心で感じ、ファスティングの必要性と有効性を実際に感じてみてください。

広い意味で「生きている間の食事を含めてファスティング」という考え方を持っていただけると嬉しいです。

常に考えて食べること、必要なものを入れること

人間の身体には、食事の消化のために働く「消化酵素」と、生命維持のためのエ

ネルギーや物質を作ったり維持したりする「代謝酵素」の2つの酵素の働きがあります。

体内にある酵素の全体量は限られており、消化酵素を沢山使ってしまうと、代謝酵素の分が不足してしまいます。

沢山食べると消化することで酵素を使いすぎてしまうため、身体を維持するために使う酵素量が減ってしまい、食べれば食べるほど身体が上手く動かなくなります。

一般的に、食べれば元気になると考えがちですが、食べることで身体は動かなくなっていくわけです。実際に食後、疲れたと感じることってありませんか?

消化することだけに酵素が使われてしまうと、カロリーのある栄養が入ってきてもそれを代謝できません。すると、体内に貯めるしかないので太り、体調も悪くなります。

朝だけファスティングに慣れてくると、これは本当に、間違いなく、食べないことが楽だ!という事実に気づけます。

体内の酵素を消化に使いすぎないためには、食べ過ぎない、よく噛むなど正しい食べ方をする、酵素を外から摂ることが大切です。

何も考えずに食べ続けると、永久に腸は休めません。何でもいいから3食を惰性で食べるのではなく、本当に空腹になった時に「身体が喜ぶもの」を感謝して適量を美味しくいただく。価値もあり、栄養も摂りやすく、経済的にも無駄がなくなります。

自分にとっての適量をゆっくりと味わって食べ、腸を休ませるために、正しくメンテナンスを行う。その方法の1つがファスティングです。

生活習慣病の原因は食べ過ぎなので、食べ過ぎないという身体に良いことをしない理由は見当たりません。充実した人生を送るためには、元気に生きること。

そのためにファスティングがあると考えると、ファスティングをやらないという選択肢はないですよね。

身体の酵素を利用した、究極のダイエット法

さきほどお話した酵素ですが、一体何なのでしょうか？　簡単に言えば、「人間や動物などが生きていくため、体内のあらゆる化学反応に不可欠な物質」のこと。

微生物や魚、植物も含めすべての生物の体内に酵素は存在します。食べたものを消化・吸収するのも酵素ですし、肌のターンオーバーや老廃物の排泄、また呼吸をしたり、筋肉を動かしたり、まばたきをするのにも酵素は不可欠です。

酵素がなければ、人間も動物も一秒たりとも生きていられません。体内に存在する酵素の数は、現在わかっているだけで30，000種類以上といわれています。

またお馴染みの栄養素であるビタミンやミネラルは「補酵素」とも呼ばれ、酵素がなければ機能することができません。

例えるなら酵素は身体の中の大工さん

木材や釘、ノコギリなど材料が揃っていても、大工さんがいなければ、家は建てられませんよね？

それと同じような感じで、酵素がなければビタミンもミネラルも働けないのです。今や酵素は最も重要な第9番目の栄養素として注目されています。

食べ物では、生の野菜・果物、生の魚や発酵食品等に含まれており、加熱した食品や加工食品には含まれていません。

人間にとって必要不可欠な酵素。酵素が生命維持に欠かせない栄養素であることを明らかにした「酵素栄養学」のパイオニアであるエドワード・ハウエル博士（アメリカ）によれば、

「体内で酵素は毎日生産されているが、一生に生産できる総量は遺伝子に組み込まれて決まっており有限である。また1日で生産できる量も決まっている。そして体

内の酵素は、40歳を過ぎると急激に減少する」と書いています。

それは、まるで銀行から「酵素預金」を毎日引き出しているようなもので、体内の「酵素預金」がなくなることは、「死」を意味するとも…。

酵素が寿命を決めているかもしれないなんて!? 私たちは食べ過ぎることで、どれほど、酵素を無駄遣いしてきたのでしょうか。怖いですよね。

また、酵素に関して、「体温が1度下がると、酵素の働きは50％低下、免疫力は37％低下、基礎代謝は10％以上低下」とも言われています。

私たちが病気になったとき高熱を発するのも、体温を上げることで体内の酵素の活性を高め、はやく病気を治癒しようとする身体の自然反応だと考えられています。

そんな酵素には分類があり、大きく分けて2つに分類されます。体内にある「体内酵素（＝潜在酵素）」と体外から食事によって摂り入れられる「体外酵素」があります。

体外酵素はさらに2種類あり、一つは食物から摂り入れる「食物酵素」で、これは生野菜や生の果物など加熱していない生の食べものや納豆やキムチ、味噌などの発酵食品に含まれています。

そしてもう一つは腸内の細菌が作り出す「腸内細菌酵素」。腸内細菌は身体の中にいますが、人間が作る酵素ではないので、体外酵素に分類されます。

人間の生命活動に関わる酵素は、30，000種類以上もあるといわれ、働きによって大きく2つに分けられます。

一つは、消化管内で分泌され、食べ物を腸で吸収できるよう細かく分解してくれる「消化酵素」です。

消化酵素は、炭水化物をでんぷんに分解する「アミラーゼ」、タンパク質を分解する「プロテアーゼ」、脂質を分解する「リパーゼ」など、全部で24種類あります。

もし消化酵素がなければ、せっかく摂った食事は、栄養素として血液に取り込まれることなく腸を素通りし、身体に役立てることはできないのです。

もう一つは、消化酵素によって分解吸収され、細胞の中に入ってきた栄養素からエネルギーをつくり、細胞の再生や修復、遺伝子の修復、解毒などの働きをする「代謝酵素」です。

免疫機能やホルモンバランス調整も全て代謝酵素の役割です。まさに生命活動そのものを担っているのです。

現代人は、動物性タンパク質や白砂糖、悪い油、食品添加物の多く使われた食べ物などの摂り過ぎが多く見られます。

また、生活習慣の乱れによる夜食や睡眠不足なども日常的に起こっています。これらは体内の消化酵素を浪費させ、これにより相対的に代謝酵素が減ってしまい、細胞修復やエネルギー代謝能力も低下し、病気や老化、そして肥満の原因になってしまっているのです。

ですので、消化酵素の無駄遣いを防ぐだけでも、代謝酵素の割合を増やし、結果的に普段の生活をしているだけでも痩せやすい健康的な身体を作ることが出来るのです！

酵素栄養学を意識した生活、ひいては食習慣の改善は、痩せやすいというメリットだけではなく、健康とも密接な関係があります。最近は治療に酵素栄養学に基づいた食事療法を取り入れるクリニックが増えてきました。

酵素栄養学の考え方で消化器官を休め、負担となる添加物や悪い油を減らし、消化酵素を温存し、代謝酵素の活性化をはかる過程で治療効果を高めているとも聞きます。あとで、詳しくご紹介しますが、大腸の専門医である中村尚志医師も、その一人です。

「プロラボ式　朝だけファスティング」は身体の仕組みを利用した究極のダイエット法

このように食習慣の改善の重要性は前述でご理解いただけたかと思いますが、プロラボ式　朝だけファスティングもまた「酵素栄養学理論」に基づいたダイエット・メソッドなのです。

何度かお伝えしているようにファスティングとは、いわゆる「消化を休ませる」ことです。一定期間固形物を摂らないことで消化活動を休ませ、身体を一旦リセットして代謝効率を高めるのが目的です。

ファスティングがいい理由はカロリー制限によって痩せるという事だけではありません。腸の汚れや宿便をとるのもメリットです。

腸の汚れは、血液を経て細胞の汚れに直結するため、何もしないでいれば全身37兆個とも言われる細胞に相当な量の毒素が溜め込まれていると考えてください。

毒素とは、主にコレステロールや垢（プラーク）、酸化した脂、カビ（真菌）、病原菌、そして白血球の死骸、ペプチド（短いタンパク質）、重金属、有害化学物質などです。

これらは細胞の一つひとつに宿便が溜まってしまっているようなもので、細胞膜も汚れきっている状態といえます。

このようになってしまった細胞は「細胞便秘」と呼ばれ、この細胞便秘状態になると肥満や万病の元になります。

ファスティングは、この汚れた細胞を健康な細胞に戻すとてもすぐれた方法です。それは細胞の「入れ替え、再生、解毒、排泄」がスムーズに行われるからです。

そのためロシア、ドイツ、アメリカなどのファスティング先進国では多くの医療機関において「絶食療法」が実績を上げており、フランスもファスティングは「メスのいらない手術」と言われています。

プロラボ式　朝だけファスティングは、消化を休めることで腸から「悪いものを出し」そして酵素ドリンクを外から補給することで体内酵素を節約しながら、腸の活動を助ける良質な栄養を入れることが最大の特徴です。

それまで使われていた消化酵素が「健康維持や向上のため」に使われることで、痩せやすい身体だけでなく、美しい肌・爪・髪をつくり、心の健康すら守ってくれるのです。

第三章

クリニックでも採用されているプロラボ式　ファスティング

3万件を超える腸を診てきた 内視鏡専門医、中村尚志医師

［プロフィール］
医療法人社団 OMI 理事長・赤坂内視鏡クリニック院長　中村尚志　医学博士

日本消化器内視鏡学会認定専門医・指導医。日本消化器内視鏡学会学術評議員。

内視鏡経験件数：３０年間／大腸内視鏡治療：２２、０００件以上／大腸内視鏡検査：３５，０００件以上／胃内視鏡検査：２６，０００件以上

昭和63年に帝京大学医学部を卒業し、同大学病院研修医２年目（約30年前）に胃内視鏡検査に出会い、直接胃の中を覗く驚きに感動し、内視鏡検査に興味を抱く。その後、ハードルがとても高い大腸内視鏡検査（当時は、盲腸までスムーズに挿入できる先生が少なかった時代）に魅せられて、大腸内視鏡を行えば行うほど好きになり、大学病院を辞めて、東京都の施設である当時は多摩がん検診センター（現：東京都がん検診センター）消化器科に入局し（平成５年）、大腸内視鏡検査に明け暮れる日々を過ごしました。平成７年（1995年）に、大腸の拡大内視鏡検査と出会い、それからは、拡大内視鏡診断学・陥凹型大腸がん、内視鏡治療学の研究に力を注ぐ日々（学会発表・論文）を過ごしました。平成16年には、父が行う調布のクリニックの２階に、内視鏡専門クリニックを開院し、その後も、内視鏡に明け暮れる生活でした。そんなころ、平成27年（2015年）、日本人の大腸がんが、男女合計で罹患数が１位死亡数が２位、女性においては、死亡数が１位となり、非常に心が痛くなり、そんな時代だからこそ、少しでも、大腸がん撲滅に貢献したい一心で、妻である通称おみちゃんと一緒に港区赤坂の地で、保険診療で行う胃と大腸内視鏡検査・日帰り大腸ポリープ手術に特化した内視鏡専門診療と同時に、生活習慣病の予防医療（自由診療）としての、オゾン療法や高濃度ビタミンC、美容点滴も行えるコラボしたクリニックを開院し、今も、日々、内視鏡診療に従事しております。今回、佐々木会長とのご縁から、美容内視鏡・Medical Fasting が誕生しました。

中村先生のセミナーでは佐々木会長と本財団理事・シンヤ両名の大腸内視鏡検査の様子を大公開。

対談）シンヤが訊く、メディカルファスティングのこと

ゲスト　赤坂内視鏡クリニック院長　中村 尚志 医師

インナービューティのトップブランド「エステプロ・ラボ」と大腸内視鏡検査の名医「赤坂内視鏡クリニックの中村尚志院長」がタッグを組んで、「美容内視鏡・メディカルファスティング」がスタートしました。大腸内視鏡に関して、日本のトップレベルである中村先生が、ファスティングを診療に取り入れることの意義と、期待できる効果をシンヤが伺ってきました。

女性の死因1位は大腸がん！

シンヤ―美容内視鏡・メディカルファスティングとは、どのようなプログラムなのでしょうか？

中村―はい、これは全大腸内視鏡検査により、腸壁にへばりついた便汁や宿便を洗浄しながら吸引し腸管内を隈なく綺麗にしていきます。同時に、大腸に腫瘍やがんがないかを内視鏡専門医が検査をし、その後、ファスティングを行うというものです。1回の通常のファスティングだけでは取り切れない腸内の汚れをキレイに取り除き腸美人へと導き、大腸がん検査まで叶う、美容業界初の健康プログラムです。

シンヤ―中村先生は消化器内視鏡の専門医で大腸内視鏡検査3万件以上の実績を誇る、知る人ぞ知る名医です。25年以上を大腸の検査と治療にささげてきました。今なぜ、メディカルファスティングなのでしょうか？

中村―大腸がんは男女合計で罹患者数（大腸がんにかかる方）が第1位、死亡者数（大腸がんで亡くなる方）が第2位、女性においては死亡者数（大腸がんで亡くなる方）が第1位となっております。

シンヤ―女性特有の臓器ではない大腸がなぜ1位なのでしょうか？

中村―戦後70年で食生活の欧米化が進み、肉の摂取量は約10倍・脂肪分は約3倍と増加し、腸内環境が悪化したことが原因です。女性においては、内視鏡検査に抵抗があるのでしょう。恥ずかしいが先に立ってしまって、なかなか検査数が伸びない。ゆえに早期発見の機会を逃してしまうのもひとつの原因です。

シンヤ―発見の遅れが、死亡原因1位に押し上げてしまっているのですね？

中村─そうなんです。大腸がんは、症状に気づいた時には、ステージが進行した状態。外科的手術の適応がない他臓器へ遠隔転移を来しステージⅣになると、ＱＯＬが著しく低下し、予後不良となり死に至ります。

そのような現状を考えると、大腸がん撲滅のために、一人でも多くの方に大腸内視鏡検査を受けて頂けるよう、内視鏡専門クリニックを赤坂の地に立ち上げました。恥ずかしくない・痛くない検査を標榜しており、１ミリの大腸がんも見逃さない、高精度の拡大内視鏡を用いた病変の発見・診断と内視鏡治療（日帰り手術）をおこなっています。

そこで、当院はラグジュアリーな雰囲気を大切にするため、院内の内装からインテリア、小物、間接照明、アロマなど徹底的にこだわり、エステサロンのような雰囲気にしています。これら空間デザインの発想はオミちゃん（奥様）によるもので、とにかく女性がリラックスできるように仕上げています！

美と健康は大腸から

シンヤ―私たちが提唱するインナービューティは、ある意味「腸」にフォーカスした美容健康法なのですが。腸の専門家としてのご意見をお聞かせいただけますか？

中村―それは本当に素晴らしい考えだと思いますよ。私たちが健康で若々しくいられるかどうかは、腸内環境にかかっており、腸内環境は「腸内フローラ」で決まります。「最近痩せにくくて」「急に太った」「便通異常に悩む」という患者さんの腸を内視鏡で診てみると、大腸がダメージを受けていることが多いのです。

シンヤ―やっぱり！

中村―人間のからだは約37兆個の細胞から成り立っていますが、私たちの腸内にはそれを遙かに上回る数の細菌が共生しており、その種類は１０００種類を超えるといわれています。これらの腸内細菌は、人間が食べたものをエサにして、私たちの腸内で独自の生態系「腸内フローラ」をつくっています。

身体に良いといわれる腸内細菌、いわゆる善玉菌と呼ばれるビフィズス菌や乳酸菌がお腹の調子を整えることは、皆さんも経験的に知っていらっしゃることでしょう。ところが最近になって、腸内細菌はこうした一般的な常識をはるかに越えたレベルで私たちの心身に様々な影響を及ぼすことがわかってきました。

研究が進むうち、腸は健康どころか生命の根幹に関わるほど重要な臓器であることが判明したのです。腸内環境が人間の思考、感情、気分、免疫力まで関係することがわかってから「第二の脳」と呼ばれるようになりました。

ですが私個人は、もっともっと「生命活動そのもの」に重要な役割を果たしているのではないかと考えています。

なにしろ腸内にはヒトの体細胞数の10倍ほどにあたる100兆個（最近では、600兆個以上・1000兆個）にも及ぶ腸内細菌がヒトの代謝よりさらに盛んに新陳代謝を繰り返し、食物の消化、吸収、排出など生命維持の根幹を担っているのですから。

シンヤ―腸内細菌ですが、人は生まれながら持っているわけではないんですよね？

中村―はいその通りです。胎児は無菌状態で生まれて、生後まもなく母親からベースとなる腸内細菌を受け継ぎ、小腸から大腸にかけ定着させ、その後、食物、環境、免疫系などさまざまな影響を受けながら、グループをつくりそれぞれの腸内細菌叢（腸内フローラ）を形成していくのです。

腸内細菌は大きく、有用菌（善玉菌）、有害菌（悪玉菌）、日和見（ひよりみ）菌の3つのグループに分かれており、数の上では日和見菌が最も多く、平常時は人体にほとんど影響を与えませんが、いつも善玉菌群、悪玉菌群どちらが優勢かに注目していて、そして、その時その時で優勢な方に加担する性質をもっています。環境に左右される腸内フローラは一人一人異なります。同じような食べ物を食べ、同じ環境で育った兄弟や一卵性双生児でも、腸内フローラは別なのです。

シンヤ―腸のことを勉強すればするほど、不思議な生物だなと思います。「病気から人を守る」のも「病気のきっかけ」を作るのも腸内細菌。さらには、ヒトが体内でつくれないビタミンKやビタミンB群を合成したり、栄養を消化したり、免疫細胞をつくるのも腸内細菌なんですよね？

中村―まったくその通り！健康だけでなく、女性にとって、最大の関心事、アンチエイジングも腸内細菌が深く関わっているんですよ。例えば、今注目されているエクオールという物質。女性ホルモンのエストロゲンと同じような働きをすることがわかってきています。大豆イソフラボンを含む食品（大豆、味噌、豆腐、納豆、豆乳など）を摂るとダゼインという成分が腸内細菌の力（エクオール産生菌）を借りてエクオールという物質に変化するのですが、このエクオールは、肌のシワを改善する、更年期症状の軽減、骨粗しょう症や乳がんの予防、などへの働きをすると言われております。

ただ残念ながら、誰でもがエクオールを自力で産生できるわけではありません。欧米人だと約20％～30％、日本人でも約50％ということですから、日本人でも半分くらいの人はエクオールを自力では作りだせないということになります。もし、このエクオール産生菌を腸内で増やすことができれば、この腸内細菌の恩恵をうけることができて、誰もが若々しくいられるようになるのかもしれません。

このように人間にとって良い仕事ばかりしてくれれば、いいのですがそうはいきません。腸内環境のバランスが崩れ悪玉菌が優勢になると、腸内の老廃物を腐敗させ、有害物質や活性酸素が腸壁を傷つけたり、血管内に吸収されて全身を巡って身体の細胞を攻撃しさまざまな病気の要因になります。

一方、善玉菌が優勢になり腸内環境が良くなると腸内で発生している発がん物質や有害物質・活性酸素などを体外に排出する働きをします。

身体にいい仕事をしてくれる善玉菌優勢（日和見菌が善玉菌を助け、悪玉菌の発生を抑える）の腸内環境をシンバイオーシスといい、悪玉菌が繁殖して日和見菌も悪玉菌に加勢し、腸内フローラのバランスが悪くなる状態をディスバイオーシスといいます。

そのため、腸内環境をシンバイオーシスに保つことが大切です。

■腸内フローラと食生活の重要性

シンヤ—健康維持に理想的なバランスは確か、日和見菌7：善玉菌2：悪玉菌1でしたよね？

中村—はい、そうですね。善玉菌はもっともなじみが深いもので乳酸菌やビフィズス菌があげられます。

乳酸菌やビフィズス菌の善玉菌を増やすため、発酵食品を摂る、食物繊維やオリゴ糖の食材を摂ることで、腸内環境がシンバイオーシスになると「消化吸収を助ける・代謝を助ける」「免疫力を高める」「ビタミンB群やホルモンを産出する」「病原菌による感染を防ぐ」「腸の運動を活発にさせる」などによって、生活習慣病やがんの予防に繋がります。

一方、悪玉菌の役割は、肉類などのたんぱく質の分解が主なのですが、それはそれで必要なことですし、有難いのですが。問題なのは分解の際、有害物質（アンモニア、硫化水素、インドール、フェノール等）を作り出してしまうこと。

さらに、善玉菌は悪玉菌によって、有害物質と闘う力が鍛えられているとも言われており、悪玉菌は身体にとって必要悪な存在で、大切なのはバランスなんです。健康を維持するには、善玉菌が悪玉菌よりも優勢な状態で、日和見菌が悪玉菌に傾かず、善玉菌を助ける状態で存在していること。常に「日和見菌7：善玉菌2：悪玉菌1」の腸内フローラを保つことが理想ですね。

シンヤ―では先生、私たちはどのようにしたら、理想的な腸内フローラを作り上げることができるのでしょうか？

中村―腸内環境は食事による影響が大きく、食べ物で改善できる反面、食べ物が原因で悪くなるとも言えます。私は長年、多くの患者さんの腸を観察してきましたが、例外なく「腸のキレイな女性」は見た目もキレイだということ。肌にハリがあって血色がよく、元気ハツラツです。そして、よく笑います！これは、とっても大事なんですよ！

そんな彼女たちに食生活を尋ねると、どなたも健康に対する意識が高く、実に食べ物に気を使っていることがわかります。栄養バランスの良い食事をしており、中でも「発酵食品」と「食物繊維」を意識して摂られている印象がありますね。

このような経験から、大腸がんを撲滅するには「食事を考える」ことも重要だと気付いたのです。

大腸がんを撲滅するには「食事を考える」ことも重要

シンヤ―なるほど！それで先生は、ファスティングを診療に取り入れることにしたのですね！

中村―腸の健康を考える上で食事は欠かせないと気付いたものの、じゃあ具体的にどうしたらいいのかわからなかったのですが。

ウチのオミちゃん（奥様）は、ある時ファスティングを始めたんですよ。それで僕はオミちゃんに「なんで、太っていないのにファスティングするの？」と尋ねると、彼女は「私のファスティングは痩せたいというよりも、アンチエイジングのために腸内環境を良くするためなのよ」って。

目からウロコでしたね。そうか、ファスティングか！と。ファスティングにもいろいろあるようですが、オミちゃんが実践していたのはプロラボ式のファスティング。

そこで「プロラボ式のファスティング」とは、どんなものなのか調べてみたら驚きました。しっかり臨床データを取っていることに加え、医学的にも理にかなった方法であること。さらに、すべての製品にエビデンスがあり、品がある。どれ一つとっても、一流であることに感動すら覚えました。

また、エステプロ・ラボの創業者である佐々木会長にお会いして、真摯に健康寿命の延伸に取り組んでいらっしゃることが伝わり、信頼はより増しました。

シンヤ―ありがとうございます！今回、先生とプロラボホールディングスのコラボにより、史上初の「美容内視鏡・メディカルファスティング」が実現しました。メディカルファスティングについて、レクチャーいただけますでしょうか。

中村―大腸がんは40歳代から増加し始め、高齢になるほど罹患率が上がってきます。増加の原因として考えられるのは、食生活の欧米化、運動不足・肥満、ストレス、過度の飲酒や喫煙など。

特に女性の場合は、若い頃から便秘に悩む方が多く、腸内環境の悪化が大腸がんのリスクを上げているという報告もあります。

今回、僕が「美容内視鏡・メディカルファスティング」の診療プランを作ったのも美容がきっかけであれば内視鏡検査のハードルも下がり、大腸内視鏡検査受診率が飛躍的上がることを期待してのこと。加えて、大腸がんを撲滅するには「食事を考える」ことも重要だからに他なりません。診療プランの特徴はファスティングと大腸内視鏡検査をセットにすることで、「痩身・腸洗浄・大腸がん検査」が出来ることなんです。様々

なプランを用意していますが、一例をあげますと

1　検査の数日前からファスティング開始
2　前日の食事は検査食
3　当日、内視鏡検査4時間前から洗腸液の飲用を開始
4　内視鏡検査開始からリカバリーまでおよそ2時間弱
5　内視鏡が腸内に！宿便を洗浄・吸引しながら、ポリープを探す
6　全大腸内視鏡検査終了後も引き続きファスティングをします

こんな感じの流れになりますね。実は、シンヤさんは、既にトライアルで受けていただいたんですよね。

シンヤーはい、受けました。セミナーで大公開されています（笑）。先生から見て、私の腸はどうでしたか？

中村―さすが、インナービューティを啓蒙するだけあって、腸のキレイさはピカイチ。千人に一人いるか、いないかというくらい美しく若々しい腸でした！まったく問題なし。

シンヤ―ありがとうございます！ダイエット効果の方も、私は定期的にファスティングを行っており、決して太っているわけではないのですが、今回のメディカルファスティングで5kgも減っていました。腸を洗浄したことで、ハーブザイムなど良いものの吸収が高まったのでしょうね。美容内視鏡・メディカルファスティングの凄さを実感しました！ぜひ、皆さんに受けて頂きたいですね！

中村―シンヤさん、美容内視鏡・メディカルファスティング、first trial お疲れ様でした。このプランが世の中に広まることで、大腸がん撲滅に繋がる大腸内視鏡検診の重要性が認知されることを切に願っています。ありがとうございました。

第四章

プロラボ式
朝だけファスティング
実践編

■はじめよう！朝だけファスティング、基本ルール

これまで、食べ過ぎによる弊害やファスティングで得られる効果について、お伝えしてきました。簡単におさらいすると、ファスティングとは、一定期間だけ（固形物）を摂らないこと。ただ繰り返しになりますが、断食とは別物です。

ファスティングには様々な方法があり、1週間に渡って完全に食を断つ本格的な断食から、週末だけ食べないプチ断食、1日だけ食べないという断食も。食べない期間が長い方が「減量」という面では確かに効果が早いかもしれません。ですが、どうしても、生活に取り入れるのが難しいケースもあります。

きちんとした指導者のもとで本格断食を行うのならまだしも、自己流断食は本当に危険です。例えば、生命活動力を維持するにも多くのビタミン・ミネラルが必要です。

また、栄養が足りないと脂肪だけでなく筋肉も減ってしまうため、結果的に基礎代謝が落ちて、疲れやすく痩せにくい身体になったり、免疫が下がって老化が進んでしまうなんてことも！くれぐれも自分だけの判断で○日間水だけで過ごすダイエットは行わないでくださいね。

ちょっと話がそれてしまいましたが「プロラボ式　朝だけファスティング」は、栄養はしっかり摂りながら、1日24時間を「食べる時間　8時間」と「食べない時間　16時間」に分けるだけ。

老けない、免疫を下げない、リバウンドしにくいファスティングです。でもなぜプロラボ式は「朝だけ」なのでしょうか？

理由その1　それは、朝は排泄の時間帯だから

人間には本能として体内時計が埋め込まれています。夜は寝る、昼は働く。これは、

原始の時代から当たり前に刻まれてきた生活リズム「ナチュラルハイジーン」とも呼ばれています。

ナチュラルハイジーンのリズムでいくと朝は排泄の時間なのです。大抵の人は、朝起きたらまずはトイレタイムではないでしょうか。排泄の時間帯は、身体は毒素や老廃物を出そう出そうと頑張っているのです。朝は入れるのではなく、出すのが得意な時間なのです。

それに、起きてすぐはまだ消化機能も目覚めていないので、朝食を摂ると食事は胃腸にとって負担となって消化不良を起こしてしまうのです。

もちろん日中の活動を支えるための最低限のエネルギーを摂る必要はありますが、朝から無理にたくさん食べるのはむしろ逆効果。どうしても食べたい時は果物やサラダ、スムージーがお勧めです。

ナチュラルハイジーン

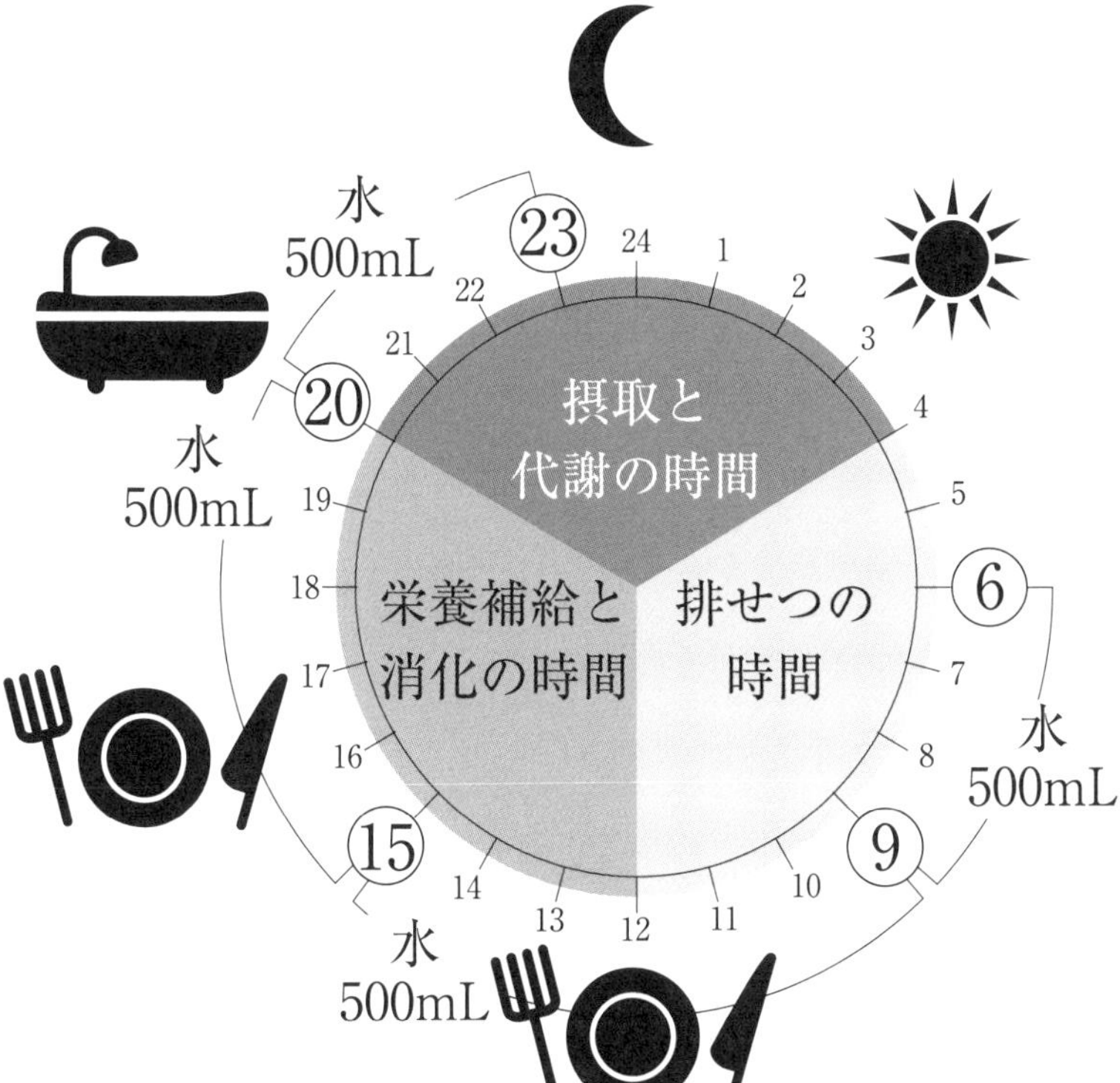
水
500mL
23
24
1
2
3
4
5
6
7
8
9
10
11
12
13
14
15
16
17
18
19
20
21
22
摂取と
代謝の時間
栄養補給と
消化の時間
排せつの
時間
水
500mL
水
500mL
水
500mL

理由その2　急なお付き合いがないから

朝食は昼や夜の食事と比べて友人とのお付き合いで食べるということは少ないですよね？　朝会とかある人もいるかもですが、それはあらかじめ、予定されていると思います。また、家族で一緒に同じものを食べなくても良いタイミングではありませんか？

そのため、朝だけファスティングは、前もって計画や予定を立てなくても気軽に取り入れやすいことも特徴です。

理由その3　パフォーマンスが上がる

朝からたっぷり食べてしまうと、胃腸を疲弊させてしまい、全身のエネルギーや酵素も無駄遣いして、疲れやすい、だるさが抜けないなどの身体的な不調にもつながり、日中の活動が妨げられる可能性もあります。

朝だけファスティングにすると、胃腸が軽い状態で1日を始めることができます。消化に使われるエネルギーを脳などの働きに回すことができるため、1日のスタートからパフォーマンスが変わってくることでしょう。

朝だけファスティングの具体的な方法

メリットしかない朝だけファスティングの具体的な方法と、どのくらい続ければ良いのかについてですが、やり方は超簡単。

基本的には朝は、お水と酵素ドリンクだけ。

プロラボ式のファスティングは「単に栄養を摂らない」ことではなく、消化の負担を減らすことがメイン。なので、エネルギー代謝に必要な栄養素は酵素ドリンクで摂ります。

それに酵素ドリンクを飲むと、案外、空腹は感じません。辛くないから、長く続けられるという人が続出なのも、人気のポイントです。

ただし、酵素ドリンクは精製した砂糖、人工甘味料や添加物を使っていないものを選んでください。これらが入っているドリンクは、普通のジュースと同じ。価格が安いものは発酵させずに作られた、「発酵風」のものもあるので、しっかりチェックしましょう！

朝だけファスティング成功のために

まず、朝起きたらコップ一杯の水または白湯を飲んで胃腸を目覚めさせます。

その後、酵素ドリンクを飲みます。飲み方や量は自由です。原液のまま飲んでも良いですが、お水に溶かして飲むと、満腹感が得られやすくなります。

水分は十分に摂りましょう！

午前中だけでも最低５００mlは水分を摂るようにしましょう。食事を摂らない代わりに水はたくさん飲むことが大切です。良質なミネラルウォーターなどこだわった水を選ぶのもおすすめです。

どれくらい続けたらいいの？

朝だけファスティング、まずは最低2週間、続けてください。2週間やってみて、無理がなければ、習慣にして続けた方が効果的です。習慣化が難しければ、1日おき、週末だけなど頻度を増やしていくことで身体が変わってきます。

期待する効果にもよりますが、例えばダイエット目的であれば定期的な朝だけファスティングを3ヶ月以上は続けてみると良いでしょう。

健康維持や美容のためならばとくに期限を設けずに、メンテナンスのための習慣の一つとしてぜひ気長に取り組んでみてください。

昼食は出来るだけ遅くする

朝だけファスティングは1日24時間のうち「食べる時間　8時間」と「食べない時間　16時間」にわけます。

昼食は、前日最後の食事を「何時に摂ったか」によります。例えば前日の夕食が19時だったら、次に食事出来るのは早くて11時です。

ポイントは夕食から昼食まで「16時間」間隔を空けること。なので前日20時に夕食だった方は、昼食は12時ということになります。

タイムスケジュール　例

朝　7時　良質の水　コップ1杯
　　　　酵素ドリンク　20ml～

昼　12時　昼食

夜　19時　夕食

ナチュラルハイジーンでは夜20時以降は代謝と吸収の時間。
夕食は出来るだけ20時までに済ませましょう！

朝だけファスティングはインナービューティ

美肌効果

朝だけファスティングを定期的に実践するとダイエットだけでなく、次第に肌も変わってくる方が多いです。

肌は腸の鏡。腸がキレイだと肌の状態も良くなるのですね！また、胃腸の状態が整うと栄養吸収も良くなり、肌細胞のすみずみまで栄養が良くいきわたるようになります。

酵素ドリンクで、消化酵素を節約しながら、効率よく栄養を補うことは美肌を手に入れる近道。これぞ、まさにインナービューティです！

免疫力アップ

ファスティングは健康維持という面においても効果を発揮します。とくに外敵に負けない強い身体を作るためにも免疫力を高めたいという方には、ファスティングがおすすめです。

内臓機能を休めることで、他の細胞や臓器にエネルギーが回るようになり、免疫力を整えていくことができるのです。

逆に暴飲暴食を繰り返していると、免疫の源である腸が疲れてしまい、免疫機能が大きく低下してしまう可能性があります。

日頃から食べ過ぎには気をつけつつも、定期的な朝だけファスティングで胃腸をリセットし、負けない強い身体を目指していきましょう。

朝だけファスティング成功のために

最後にあらかじめ知っておくべき、朝だけファスティングの注意点について解説します。

朝はドリンクと水だけで過ごすこと

先ほどもお伝えしたように朝だけファスティングでは、朝食として固形物を一切食べないことがポイントです。もちろん手作りのスムージーでも良いですが、しっかりと胃腸を休ませるという点では酵素ドリンクや果物を絞っただけのジュース（コールドプレスジュース）のような飲み物がベターです。

また、食事を摂らない代わりに水はたくさん飲むことが大切です。良質なミネラルウォーターなど質の良い水を選んでください。

前日の夕食は20時までに終わらせる

朝だけファスティングの前日の夕食は20時までには済ませましょう。遅い時間に食事を摂ってしまうと、寝ている間に消化しきれずに翌日まで持ち越してしまいます。

とくに悪い油や過度な動物性タンパク質は消化に時間がかかるので、遅い時間には避けたい食品です。

どうしても、そういったものを食べたいなら、出来るだけ昼食に持っていくと良いでしょう。

パスタやパンなどの炭水化物も消化しきれずに残ってしまうと、脂肪や老化の原因となるので注意が必要です。

生活習慣の見直しに

日頃気をつけているつもりでも、ついつい美味しいものを前にすると食べ過ぎてしまいがちです。

また、ストレス解消として好きなものを我慢したくなかったり、お付き合いの関係があったりと、なかなか食生活を大幅に変えるのは難しいかもしれません。

朝だけファスティングは忙しく暮らし、さまざまな理由から食事をコントロールしづらい現代人にぴったりの方法です。

朝であれば都合がつきやすく、誰でも無理なく気軽にファスティングを日常に取り入れることができますよね。

失敗しないために、酵素ドリンクは正しく選びたい

なんちゃって「酵素ドリンク」。それってアリ!?

朝だけファスティングの目的は、痩せることだけではありません。固形物を口にしないことで消化器官を休ませ、腸内環境をリセット。消化酵素を節約して免疫力を高めることにあります。

そのため、完全な絶食ではなく老化を防ぎ、代謝を落とさないために酵素ドリンクを摂取するのです。

酵素ドリンクは非常に多くの野菜、果物、海藻、野草、穀物、樹液などから栄養分だけを抽出し、生きた微生物の働きで熟成発酵させた複合食物エキスです。

多くの種類のビタミン、ミネラル、アミノ酸などの栄養素が天然の形で含まれて

います。ファスティングの成功は、酵素ドリンク選びにかかっていると言ってもいいくらい重要なのです！

とはいえ、酵素ドリンクは法律などで○○が入っていなければならない、○○が配合されていなければならないという決まりが一切ありません。

市販品の中には、酵素ドリンクと謳いながら、発酵させていないものや砂糖が入っていたり、添加物だらけのドリンクも存在しているようです。

ファスティング中の酵素ドリンクは、体内への吸収力も増しています。間違った酵素ドリンクを選んでしまった日には、デトックスや腸内環境のリセットが出来ないだけでなく、消化の負担になってしまうなんてことも。酵素ドリンクはくれぐれも、選んでくださいね。

酵素ドリンクを選ぶ時チェックしておきたいポイント！

●「○○糖液」「シロップ」に要注意！

どんな商品にも必ず、原材料が明記されたラベルが入っています。これは法律で決められていることなので、本物であろうとナンチャッテ酵素だろうと同じです。そこで、選ぶ時には必ず、原材料を確認しましょう！もし、原材料の中に「○○糖液」や「シロップ」と書いてあったら、要注意！

これはエキスを糖液やジュースで薄めたものになります。発酵エキスが薄いということです。もちろんジュースとして美味しく飲む分には、まったく問題ありません。ですがファスティングとなると「?」がついてしまいます。

●無添加であること！

酵素はもともと発酵食品なので、常温でも腐ったりすることはありません。なので保存料が入っているものは要注意。

この他にも安定剤や香料、着色料、白砂糖、人工甘味料、人工培養された菌などを使っている酵素ドリンクもファスティングには不向きです。

ファスティングのための酵素ドリンクを選ぶなら、原材料名が野菜や果物のみ書いてあるものを選ぶと間違いがないでしょう。

ファスティングするなら、品質と信頼で選びたい。

一般財団法人　内面美容医学財団が推奨する酵素ドリンクは？

113種類の植物を、ヒノキ樽で熟成発酵

「ハーブザイム113グランプロ」は、113種類の鮮度と産地にこだわった国産ハーブ、野菜、果物、海藻、キノコ類、穀物が原材料。

発酵には天然微生物が棲みつきやすい伝統的なヒノキ樽を用いて、人工培養された酵母菌は一切加えず、自然発酵させています。

発酵エキスを抽出する際はミネラル豊富な喜界島の粗糖の浸透圧を利用しており、白砂糖や麦芽エキスなどは使用していません。また、発酵から熟成まで約2ヶ月と活力あふれる若い酵素を利用しているのも特徴です。

目的別に3種類

「ハーブザイム113グランプロプレーン」

水やオリゴ糖を加えず、無希釈の植物酵素原液98％のハイクラス酵素飲料。ファスティングのために研究開発された酵素ドリンクです。

「ハーブザイム113グランプロジンジャー」

発酵の段階からプレーンの20倍の生姜を加えた、冷え性や低体温でお悩みの方のための酵素ドリンクです。

「ハーブザイム113グランプロオラックス」

12種類のベリー系フルーツを厳選配合した美容効果の高いドリンク。厚労省が推奨するオラックス値（活性酸素吸収能力値）をはるかに凌ぐ1680の値を誇る抗酸化力です。

エビデンスを取得

これらの製品はいずれも第三者医療機関においてヒト臨床試験を実施し、体重・ボディサイズ・脂質・糖代謝、肝機能、血液的検査値、アレルギーに対する効果などについて有意な結果が示されています。

ファスティングに適した良質な水

ファスティング中、身体の吸収率はグーンと高まります。なので、食べていい時間帯でも添加物や糖分は控え「良いものだけを入れる」こと。

朝だけファスティングの成功の鍵を握るのは「酵素ドリンク」と先ほどお話ししたが、酵素ドリンク以上に飲む水の質というのは大変重要になります。

体内酵素が生き生きと活動するためには、水が欠かせません。人が尿や汗として排出する水分量は約2・5L。食事をしていると1L位の水は補えますが、ファスティングのためにはあと2L必要です。

そんなに飲んで大丈夫？と思うかもしれませんが、ダイエットにこそ十分な量と質の良い水を摂っていただきたいのです。

スーパーモデルやハリウッド女優など、美意識の高い人たちは良い水を飲むことにこだわりを持っています。

それも、そのはず。健康な身体であれば、飲んだ水はすぐさま細胞に摂り入れられ、余った水や汚れた水は排出されます。この代謝に関係しているのが細胞のエネルギー生産工場である「ミトコンドリア」。

ミトコンドリアは、体内で唯一、脂質をエネルギーに変えることができ、一つの細胞内に必ず存在する微小器官。

このミトコンドリアが元気であればあるほど、より多くの脂質をエネルギーに変えられるため、痩せやすくなるのです。

ちなみに、マウスを使った実験では、飲んだ水は30秒で血液に入り、1分以内に脳組織と生殖器に到達することがわかりました。さらに、皮膚組織には10分後、心臓や肝臓の臓器には10分〜20分後に到達しています。

そして飲んだ水が、完全に体外に排泄されるまでの時間は約1か月かかることがわかりました。

体内に長く留まるかもしれない水。だからこそ、良い水を細胞内に摂りこみ、ミトコンドリアを活性化して代謝力の高い体質にすることがダイエットの基本。ファスティングを成功させるには、水選びもまた重要です。

では、良い水って、一体どんな水？

プロラボ式　朝だけファスティングが掲げる「良い水」の定義は６つ。今から水を選ぶ際、気にして欲しい６つのポイントを紹介します。

1　有害な物質が十分にクリーニングされた水

意外に思われるかも知れませんが、日本は水質規制がユル〜い国だったのです！海外では採水地周辺の環境には厳しい基準を設けています。

ところが、日本の採水地付近には牧場や農場があり、肥料に含まれる硝酸性窒素などの有害物質が検出されることも多いのです。

飲んで余った水は体内で約1か月間留まっていることを考えたら、塩素、トリハロメタン、カビ、鉛といったあらゆる有害物質が取り除かれた水が良い水です。

2　加熱殺菌されていない水

飲料水を販売するには厚生労働省の定めた厳しい規定があるため、多くの飲料メーカーは手っ取り早く水を殺菌できる加熱処理を行っています。

しかし、加熱処理された水は酸素濃度が低かったり、身体への吸収がスムーズではない等のデメリットも。

一方非加熱の水は酸素濃度が高く吸収が早い特徴に加え、成分に含まれる炭酸ガスが失われていないのでまろやかで美味しいというメリットがあります。

手間暇をかければ、非加熱でも無菌を叶えることが出来ます。手間を惜しまず、非加熱処理をされた水が良い水です。

3　酵素を活性化させる水

酵素の働きは水の質で大きく変わることがわかっています。良い水を飲んだ分、酵素は元気に働いてくれるのです。

人間が生きるために必要な、消化・代謝のすべてに関わっているのが酵素。皆さんが、息をしたり、手を動かしたり、余分な脂肪を燃やすのも、酵素がさせているのです。

なので、酵素活性力の高い水を飲めば飲むほど、酵素はやる気をだしてくれるのです。一方、酵素活性化の低い水では、やる気スイッチが入らず、健康や美容に影響が出るだけでなく、ダイエット効果もあまり出ないということに。

ファスティングを成功させるためにも、酵素活性の高い水が良い水です。

4　細胞浸透力の高い水

人の身体は37兆個の細胞で構成されていて、細胞内は水で満たされています。そして、細胞内のプールの中に「ミトコンドリア」「ＤＮＡ」が浮かんでいます。ところが細胞膜は油で作られており、水はそのままでは入ることが出来ません。

そこで、すべての細胞には水専用の通り道「アクアポリン」があります。アクアポリンには通しやすい水と通しにくい水が存在し、通しやすい水こそが「細胞浸透力の高い水」。

通しにくい水ばかり飲んでいると、細胞内のプールは汚れ、ミトコンドリアは機能しなくなり、ＤＮＡもサビていくばかり。瘦せやすい身体といつまでも健康で若々しくいるために、細胞浸透力の高い水が良い水です。

5　油を溶かす（界面活性力）水

通常、水と油は混ざらないで分離しますが、力のある水は、油と混ざるどころか溶かします。それが界面活性力の高い水。食品添加物や汚れた空気を通して体内に入った有害物質は、脂肪に蓄積されていきます。界面活性力の高い水を飲むことで、水と脂肪が混ざり、蓄積された有害物質を溶かして排出する効果が期待できるのです。

また、この能力が高ければ高いほど、身体への吸収力も高まり血液中の中性脂肪や悪い脂を洗い流してくれます。毒素を排出して、脂肪をも溶かす水。それが良い水です。

6　クラスターの小さい水

クレンジングの際、水とお湯を比べた場合、汚れが落ちやすいのはお湯です。なぜお湯が落ちやすいのかというと、水の分子集団（クラスター）は熱で温められると、切断され小さくなり、表面張力も低下して油と混ざりやすくなっているのです。

熱を加えなくても、もともとクラスターの小さい水は存在しています。世界中で見つかっている「奇跡の水」がそれ。「ルルドの水」「トラコテの井戸水」「ノルデナウの水」は観光名所にもなっているので、皆さんも一度は耳にしたことがあるのでは？

それぞれエピソードがありますが、共通しているのは「病気を治す水」であること。クラスターが小さければ、油を溶かす力も高く有害物質を洗い流してくれる。そんなお水が良い水です。

以上の6つの要素をすべて備えた水こそが、ファスティングを成功に導く水。この条件をすべてクリアしているのが、内面美容医学財団が推奨している「ファストプロウォーター」。

富士山麓のウォーター・プラントで特許技術を駆使した活水処理を行い、水本来のおいしさや溶存酸素を守る非加熱無菌常温充填。

さらに界面活性・酵素活性・アクアポリン透過性において秀れた分析値を有する「高

付加価値水」として、ファスティングを目的に研究開発された水でした。

最近では「ファストプロウォーター」の持つ機能が医療機関で高く評価され、治療をサポートする機能水としても採用されています。

■医療現場で活躍する細胞浸透水

※健康ジャーナル2021年2月号より

医療法人社団医進会　小田クリニック　理事長・院長
小田 治範 氏

25年前から免疫細胞療法、近年でも幹細胞療法に取り組み、中国と日本で研究を続けてきた小田治範医師。その功績により、中国では最高峰の医療センター北京

［プロフィール］
医療法人社団医進会
小田クリニック　理事長・院長
小田 治範 氏

中国海南島ボアオ国際医院　院長
イタリアトリノ大学　客員教授
長崎大学大学院　客員研究員
中国人民解放軍総病院（通称解放軍301医院）の細胞治療等再生医療研究に協力。がんの免疫治療を国内でいち早く臨床に応用。

３０１病院の細胞治療等再生医療研究に協力。その後、中国・海南島の医療特区にある中国海南島ボアオ国際病院で院長として先進医療に携わる。現在は、がんの超早期発見を掲げ、ＮＫＭ免疫細胞と幹細胞療法を中心に予防医療を実践。活動範囲は国内のみならず韓国・中国にもわたり、韓国ではＭＦＤＳ（韓国食品医薬品安全庁）の許可を日本の医療機関として初めて取得。免疫細胞療法・幹細胞療法・再生医療の分野ではアジアでトップクラスの実績を持つスーパードクターである。

ＮＫ細胞と幹細胞の培養に「細胞浸透水」を採用

がん、糖尿病、血管障害、認知症など多くの病気は、ある日突然かかるわけではありません。特にがんは何年もかけて体内で育ち、ある程度の大きさになって初めて『がん』の診断が下されるのです。ひとたび発症してしまったら精神的にも、身体的にも、経済面でも何一つ良いことはありません。

未病のうちに適切な治療を施せば、ほとんどの病気を未然に防ぐことができます。私たちにはホメオスタシスという素晴らしい機能が備わっています。

ホメオスタシスとは自らの体を環境に適応させ、正常な状態に戻そうとする生体機能。「自律神経」「内分泌」「免疫」が深く関わっています。

例えがんが見つかっても、ホメオスタシスが機能していれば、副作用も、苦痛もなく病気の進行を防げます。もちろん他の病気でも例外ではありません。

免疫細胞治療とは、人が本来持っているホメオスタシスの機能を高め、自分自身で治癒を目指す治療法。私は25年前から、免疫細胞治療に取り組んでおり、国内でいち早く臨床に応用してきました。

独自に細胞培養を開発し、ＮＫＭ免疫細胞療法を確立

医療とは本来、「治療医学」と「予防医学」があります。現代医学では治療医学ば

かり注目されています。ですが私は、医者になったその日から予防と治療は分けるべきではないと考え、免疫細胞療法の研究に邁進していったのです。

患者自身の免疫細胞を活性化して、免疫を高めて病気と闘わせる免疫細胞療法。最近は日本でもがん治療の一つとしてＮＫ細胞（ナチュラルキラー細胞）療法が知られるようになってきました。

ＮＫ細胞は体内でがん細胞やウイルスなどの異常細胞を発見すると、真っ先に、しかも単独で攻撃を仕掛けます。この単独性と即効性がＮＫ細胞のもっとも大きな特徴なのです。

一般的なＮＫ細胞療法とは、患者自身の血液を40～60ｃｃほど採取し最新の培養技術で増殖・活性化させ、２週間ほど無菌状態で増殖させたＮＫ細胞を、再び患者さんの体内に戻すという治療法です。

私が開発したＮＫＭ免疫細胞療法は、このＮＫ免疫細胞療法をさらに進化させた免疫細胞療法。ＮＫ細胞をより多く増殖させると同時に、Ｔ細胞、樹状細胞などをミッ

シンヤと小田先生

クス（M）させて培養して免疫力を高め、がん細胞への殺傷能力をさらに高めた治療法です。

NKM免疫細胞治療の場合、1回の培養で細胞の数は約15～30億個と驚異的な数字になります。

培養した細胞の質を決めるのは水

NK細胞の増殖・活性化に「水」は大きく関わってきます。水が培養の成否を左右すると言ってもいいかもしれません。

「(株)プロラボホールディングスが研究開発した細胞浸透水」を採用し、NK活性効果を確認しました。

なぜなら、細胞の中は水ですが、細胞膜は油で出来ています。細胞の水はつねに新鮮でないと、細胞そのものが劣化します。水を交換したくても、脂の膜にはじかれて中に入れません。そのため細胞膜には水を通す「アクアポリン」という通り穴が存在しています。とはいえ「アクアポリン」も小さな孔。クラスターの大きな水では透過しません。

だからこそ、免疫細胞の培養に使用する水は透過率の高いものでなければいけないのです。私は免疫細胞の培養にあたり、様々な水を試す中で（株）プロラボホールディングスが研究開発した『細胞浸透水』ほど、アクアポリンの透過性が高い水は知りません。

さらに、この水が優れているのは培養時の透過性だけではありません。経口摂取でも、明らかな違いがみられたのです。

もしかするとホメオスタシスにも、作用する力があるのでは？

NK細胞の活性殺傷能力は、高過ぎても低すぎてもいけません。低ければがんのリスクは高まります。ですが、高くなり過ぎると、アレルギーや免疫疾患を引き起こすことになります。治療にはバランスが何よりも重要なのです。

培養実験において素晴らしい結果を出したエステプロ・ラボの『細胞浸透水』。私は「この水は、もしかするとホメオスタシスに作用する力があるのではないか」と考え、次のような臨床試験を行いました。

「細胞浸透水」のNK活性に対する効果

『細胞浸透水』の人の健康に関する報告は多く、アトピーなどの免疫疾患の治療からニキビなどの美容効果、抗がん作用など多岐にわたっています。抗がん作用の作用機序については、動物実験による腫瘍に対する直接的な増殖抑制効果等が報告されています。

細胞浸透水のNK活性に対する効果

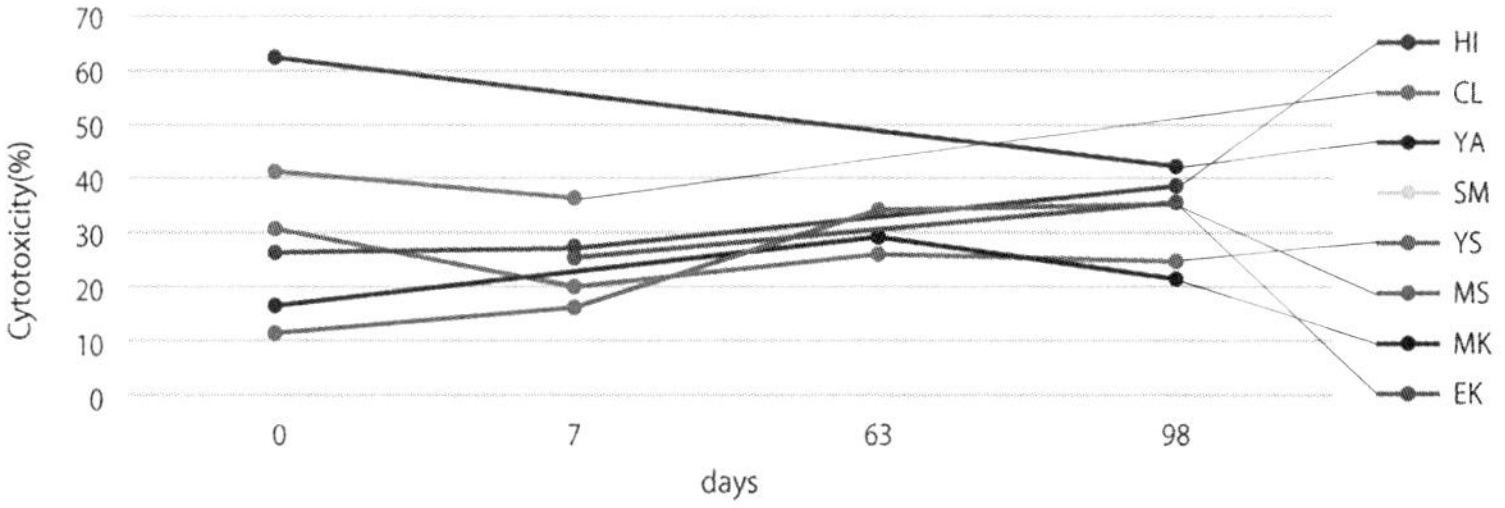

基準値：E/T比10：18.9～29.5（BML参考）

今回、我々（小田クリニックチーム）は、健常者で、（株）プロラボホールディングスが研究開発した『細胞浸透水』の経口摂取前と摂取後の末梢血中のリンパ球のＮＫ活性の変化を調べてみました。

方法：被験者（健常者）８名に（株）プロラボホールディングスが研究開発した『細胞浸透水』を毎日２Ｌずつ７日間摂取させ、０日目及び７日目、63日目（約２か月後）、98日目（約３か月後）のＮＫ活性を測定する。63日目は前日、98日目はその１週間前から毎日摂取させた。

結果：８名中５名が３ヶ月継続した。２名が７日目の開始となり、うち１名は７日のみの測定だった。０日目のNK活性測定の結果は、基準値より高い2名（図中YA・CL）、ほぼ基準値の2名（図中YS・HI）、基準値より低い2名（図中MS・MK）に分れた。その後、時間の経過とともに、0日目の低い2名に上昇傾向が見られ、ほぼ基準値の2名は横ばい又はやや上昇傾向を示し、基準値より高い2名に下降傾向が見られた。

考察：基準値より高い2名は、YAは重度のアトピー性皮膚炎、CLはアルギーを発症していた。（株）プロラボホールディングスが研究開発した『細胞浸透水』を摂取による抗炎症作用に関する文献はすでに存在するが、今回もそれを裏付けるものとなった。基準より低い2名は、健常者であるが、がん等で免疫が低下した人で同様の効果が今後期待される。

高齢化社会に伴って病人の数は増加しているのが現状です。そのような状況下で、病人がこれからの医療が考えることは、病気にかかってから治療を繰り返すのではなく、事前の予防方法を普及させながら治療効果をあげていくことです。

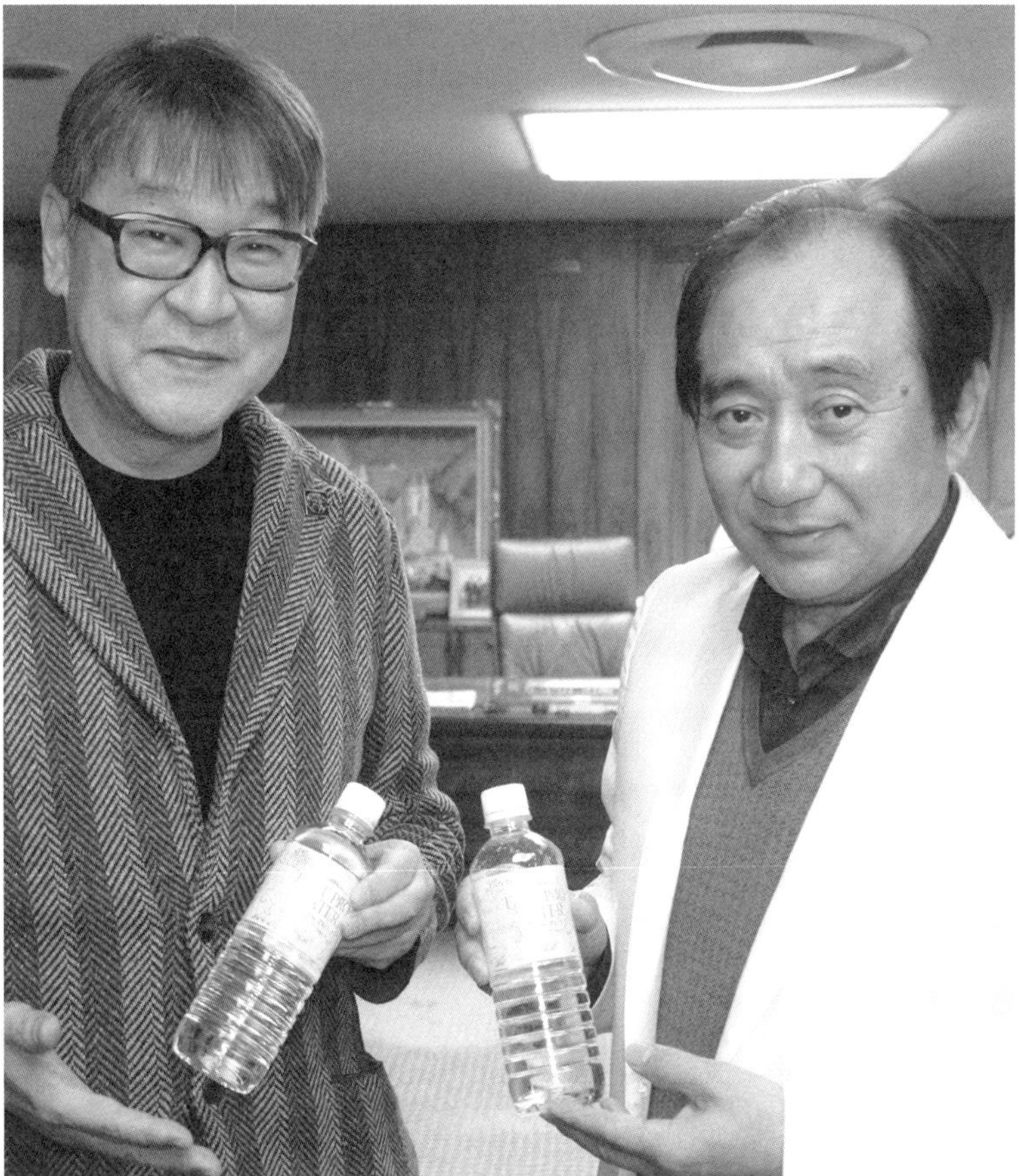

自社が研究開発した「細胞浸透水」の臨床結果について、報告を受ける佐々木広行氏（株式会社プロラボホールディングス会長）。予想以上の結果に会長本人が一番驚いたという。

今回、エステプロ・ラボの『細胞浸透水』を治療に取り入れたことで、「健康寿命の延伸」を企業理念に掲げる素晴らしい会社との縁ができました。

このような素晴らしい水を世に出した佐々木会長とともに、我々医学者も「健康寿命の延伸」に力を尽くしていきたいと考えています。

2019年1月25日
李克強中国国務院総理（左）と小田先生（右）

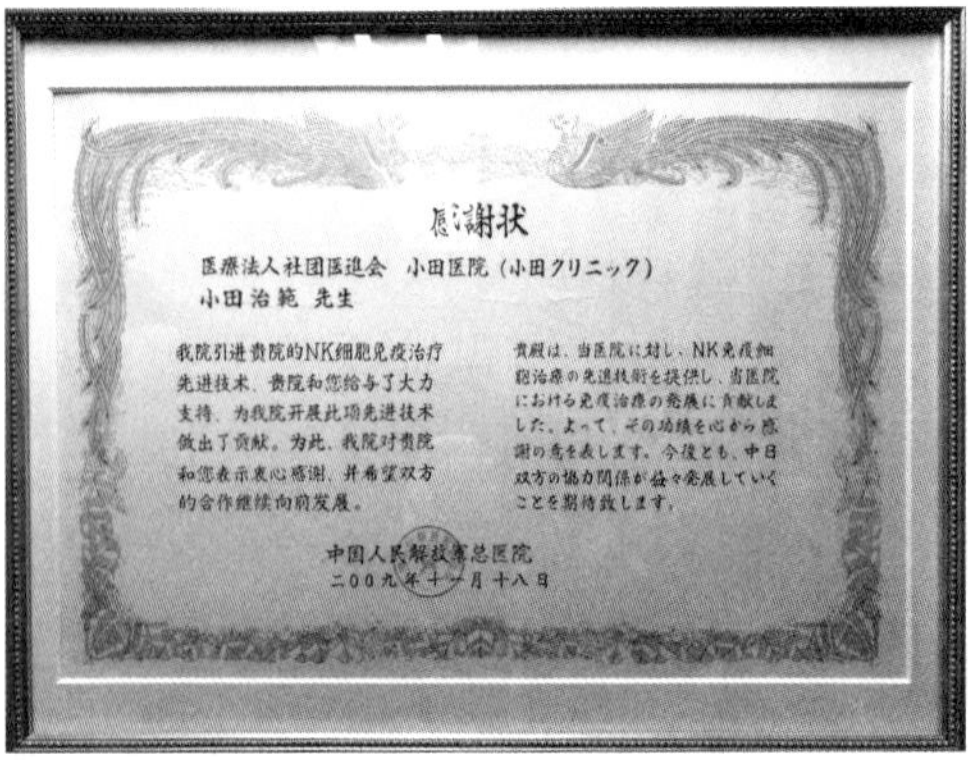

感謝状

医療法人社団医進会　小田医院（小田クリニック）
小田治範　先生

我院引进贵院的NK细胞免疫治疗先进技术、贵院和您给与了大力支持、为我院开展此项先进技术做出了贡献。为此、我院对贵院和您表示衷心感谢、并希望双方的合作继续向前发展。

貴殿は、当医院に対し、NK免疫細胞治療の先進技術を提供し、当医院における免疫治療の発展に貢献しました。よって、その功績を心から感謝の意を表します。今後とも、中日双方の協力関係が益々発展していくことを期待致します。

中国人民解放軍总医院
二〇〇九年十一月十八日

中国人民解放軍総病院からの感謝状

第五章

論より証拠！
体験者の変化を
ご覧ください！

虚弱体質で肥満だった私が、朝だけファスティングのおかげで別人に！

痩せただけでなく、風邪もひかなくなりました。

大島　進さん（会社経営・66歳）

サプリメントとかナントカ健康法なんて、胡散臭いと思っていた人間が！

昔の私は、ダイエットどころかナントカ健康法やサプリメントと聞くだけで、胡散臭いと思うような人間でした。建築関係の会社を経営している私は付き合いも多く、毎晩のように会食をしていました。

もともとお酒は好きで、付き合いのない日も飲んでいたのですから、胃腸も肝臓も休まる日はなかったでしょうね。

だからなのか、若い頃から虚弱で体力もないし、年に数回は必ず高熱を出して寝込むという有様。

当時の写真を見ると、明らかに不健康なのがわかります。そんな私にたまりかねて、酵素ドリンクを勧めてきたのが妻でした。私が60歳の時でした。

妻はエステサロンを経営しており、サロンの痩身プログラムとして取り入れていたのがエステプロ・ラボさんの「ハーフザイム113グランプロ」という酵素ドリンク。

サプリメントといった類のものは大嫌いだし、まったく信用していない私はどんなに妻が懇願しようとも聞く耳をもたず。あの頃の自分を叱りたいですね。

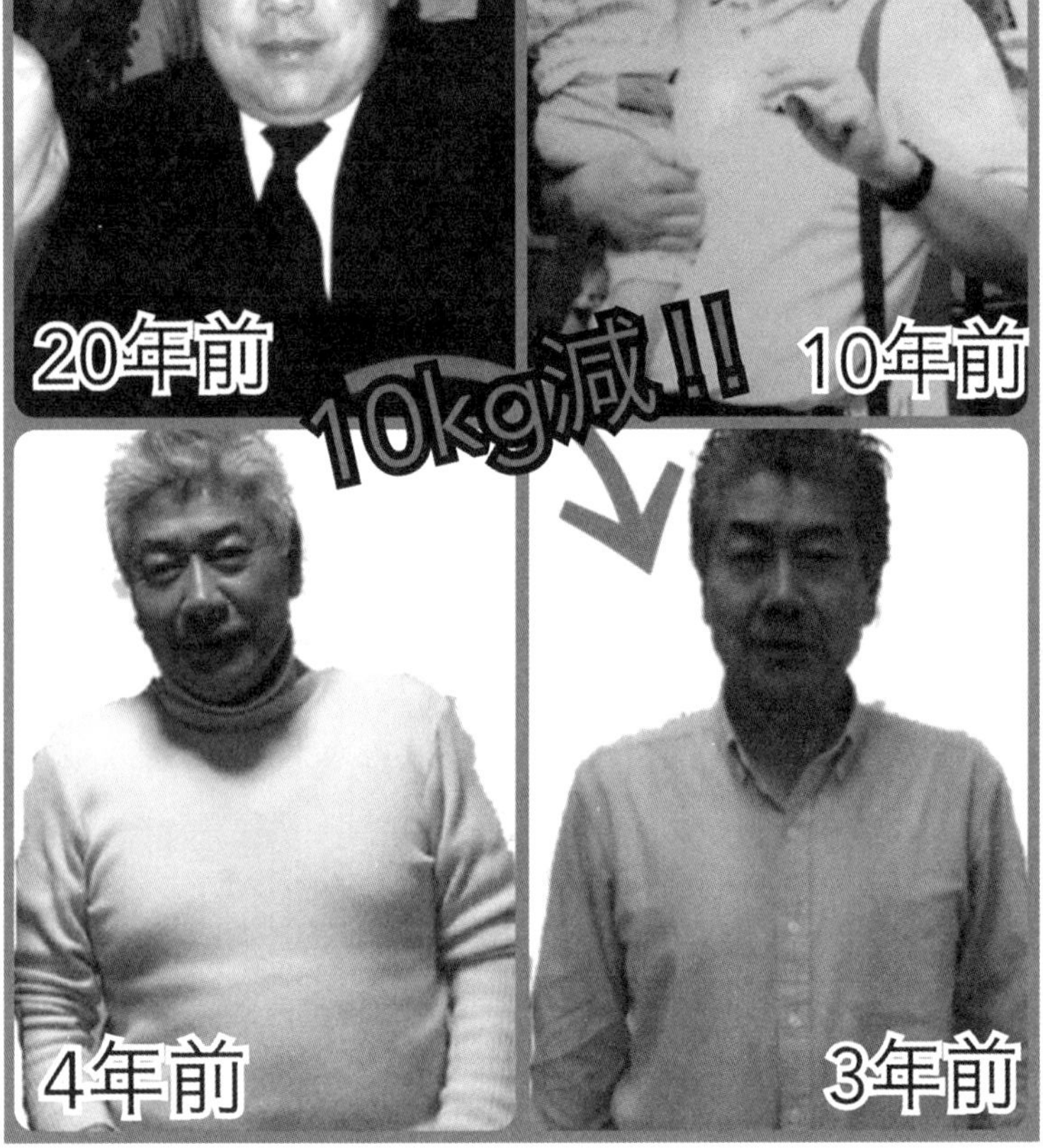

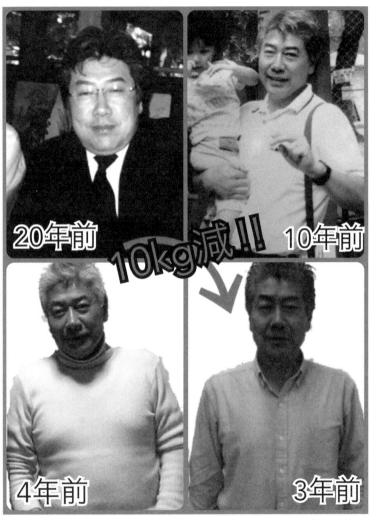

ご主人の大島進さん。１０年前と比べると別人！

逃げ回る主人を追いかけて、怒られながらも、飲んでもらうことを諦めなかった。

妻・大島　裕見子さん（エステサロンMYU経営）

酵素ドリンクはお客様から評判が良く、私自身飲むようになってから疲れを感じなくなっていたので、是が非でも主人には飲んで欲しかったのです。

当時、私は親の介護を終えたばかり。子供たちも自立して、ようやく自分の時間を好きに使えるようになったのですから、主人には健康でいて貰わないと。介護はもうたくさん（笑）という心境でした。

ですから、どれほど主人が逃げ回ろうとも諦めませんでしたね。最後の方は、主人、怒っていました。「飲まないって言ってるだろっ！！！」って。

怒鳴られてもめげる私ではありません（笑）。そこで、戦法を変えました。追いかけまわすのは止める代わりに、毎朝、主人のコーヒーの横にお猪口1杯分の酵素ドリンクを置いておく作戦です。

主人は好奇心の強い人間なので、つねに目に入るところに置いておけば、そのうち好奇心が勝って飲むだろうと。

作戦は大当たり。ある日の朝、ついに飲んだのです！それが今から6年前。それからは朝お猪口1杯分（約20㎖）の酵素ドリンクを飲むのが習慣となりました。

最初は酵素ドリンクを飲むだけだったのが、いつのまにかファスティングまで行うように。それどころか、ついにはファスティング・カウンセラーの勉強をしたいと言うように。

正直驚きました。ちょっと前まで、ダイエットはしない。サプリメントは胡散臭いといっていた人が、ファスティング・カウンセラーの資格を取るとは！

朝だけファスティングを実践するようになって1か月後、体重が3kg落ちていました。お酒も会食も止めていないのに！

（大島　進さん）

酵素ドリンクを飲んだきっかけですが、妻が何も言わなくなったこと。でも、ドリンクはテーブルに毎朝置いてあるのです。

（これ、飲まなかったら捨てちゃうのかな?それは、もったいないぞ）という、まあ何というか、あまりカッコいい動機ではないですね（笑）。

それで、飲んでみたら意外と美味しかったんですよ！適度な甘みもあって、コクもあって。それでいてクセのない、飲みやすい味でした。

いつもは寝ても寝ても、疲れが取れない感じだったのが、飲んだ翌日の朝、とても目覚めが良かったんです。その時は、たまたまかな?と思ったのですが、日を追うごとに体調が良くなっていくのが実感できたのです。

もともとが、暴飲暴食・不健康だったからでしょうか、飲み始めてから効果が出るまで、早かったですね。

それまでは常に体のどこかが痛かったり、だるかったりして、何かというと横になっていた私が、朝、酵素ドリンクを飲むようになっただけで、気力体力が見違えるようになったのです。おまけに、文字通り「朝だけのファスティング」で昼・夜は普通に食事して、お酒も止めていなかったのに、1か月後体重が3kgも落ちていたんです！

朝、朝食の代わりに酵素ドリンク飲む。たったこれだけのことで、私の身体が大きく変化したのです。これは、一体どういうことだ?と興味が湧いて、気が付けばファスティング・カウンセラーに。これには、妻が一番驚いていました。

（大島　裕見子さん）

高熱を出して寝込むのが年中行事だったのが、
あの日以来、風邪ひとつひいていないんですよ。

１９５４年生まれの主人は今年67歳になります。プロラボ式　朝だけファスティングを始めて実践してから、間もなく7年目を迎えます。
以前は、本当に体力がなく、よく寝込んでいた人が、この7年間、一度も熱を出したことがないのです！それどころか、風邪一つひかなくなったのですから、不思議ですよね。

朝だけファスティングは今も継続中ですが、途中から朝だけは物足りなくなったのか、毎月1回は7日間ファスティングを行っています。
10年前の主人とは別人です。不健康・不摂生だった40代・50代のころと比べると、断然今の方が若いと、皆さんに褒められるので「ファスティングは止められない」のだそう（笑）。

もちろん私もファスティングは毎月しています。もともと元気でしたが、さらに元気がレベルアップしています。

カフェ MYU 店内

主人と一緒にファスティングを行うようになってから、不思議とケンカしなくなりましたね。ファスティングで疲れ知らずになった私たちは、3年前に趣味を兼ねたカフェをオープンさせました。

それぞれ、本業があるにも関わらず、休日や本業の合間でお店をしてしまうものですから、「60歳過ぎて、どれほど元気なんだ！」と周囲から、呆れられています。

二人で始めたインナービューティ・カフェ。食べて、飲んで身体の内側からキレイになりましょうというお店です。

無添加・低GI値にこだわったオリジナルの食パンや自然発酵させたオリジナルの雑穀米甘酒で皆様の「食べたい」を応援しています。

大人気の、アガベシロップとファストプロウォーター・グラフィエットバターで作った、オリジナル食パン。

現在の大島進さん夫妻

二度と昔の自分に戻りたくないから、ファスティングはこれからも続けます！

（大島　進さん）

プロラボ式　朝だけファスティングを行ってから、勝手に痩せるわ、健康になるわで、遂には公認ファスティングプロフェッショナルインストラクターの資格まで取得してしまいました。

もう二度と虚弱で太っていた頃の自分に戻りたくないから、ファスティングは絶対に止めない！です（笑）。

面白いことに、ファスティングは、続ければ続けるほど楽しくなっていくんです。腸内環境が良くなって、幸せホルモンがたくさん出ているのかな？（笑）。

最近では、空腹もまた快感。もちろん食べたいという欲求はありますが、ファスティング中（これが終わったら、アレを食べよう、コレが食べたい）というのが、楽しいんですね。

カフェの店内には、私の昔の写真が堂々張り出されていまして。初めて訪れたお客様のほとんどが「これ、マスターですか？」と驚かれます。

なので、私の体験をお話させていただいているのですが、そのうち7割くらいの方が自分もファスティングを始めてみます！と仰って帰られますね。

そのうちの一人の方のエピソードですが。私の体験談に触発されてファスティングを行い、痩せて健康になったら、なんと、お嫁さんが見つかったのです！

ご本人は結婚を諦めていたらしいのですが、その方「ファスティングで人生が変わりました」とおっしゃって、今ではご夫妻で朝だけファスティングを実践しています。

健康は人生を180度変えてしまうほどのパワーがあるのだと、あらためてファスティングの素晴らしさを実感しています。

プロラボ式ファスティングの実例紹介

Before ➡ After

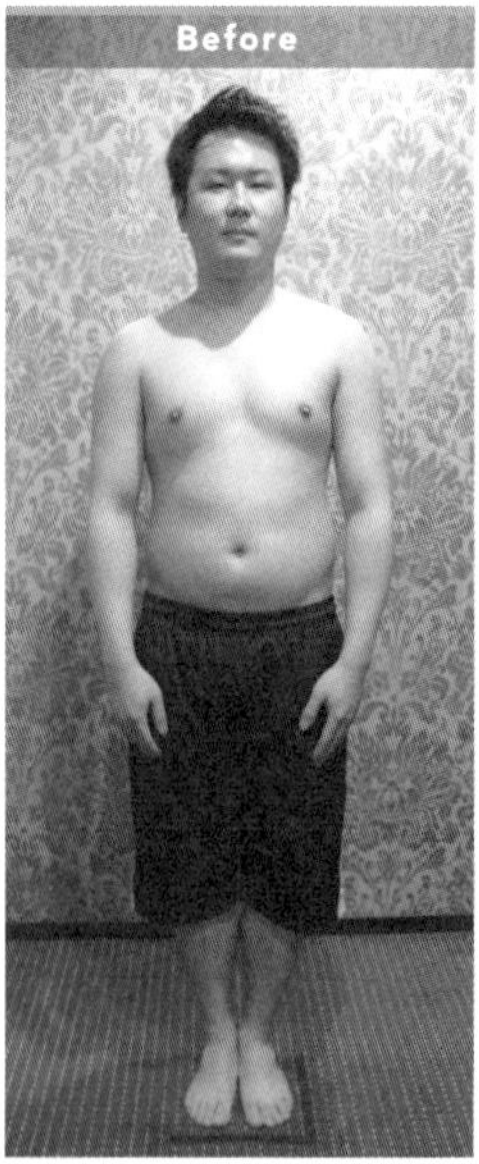

3ヶ月で…

体重

−6.5kg

脂肪量

−4.8%

ウエスト	−8.2cm
腹部	−6.5cm
ヒップ	−10cm
太もも(左)	−5.2cm
(右)	−3.6cm

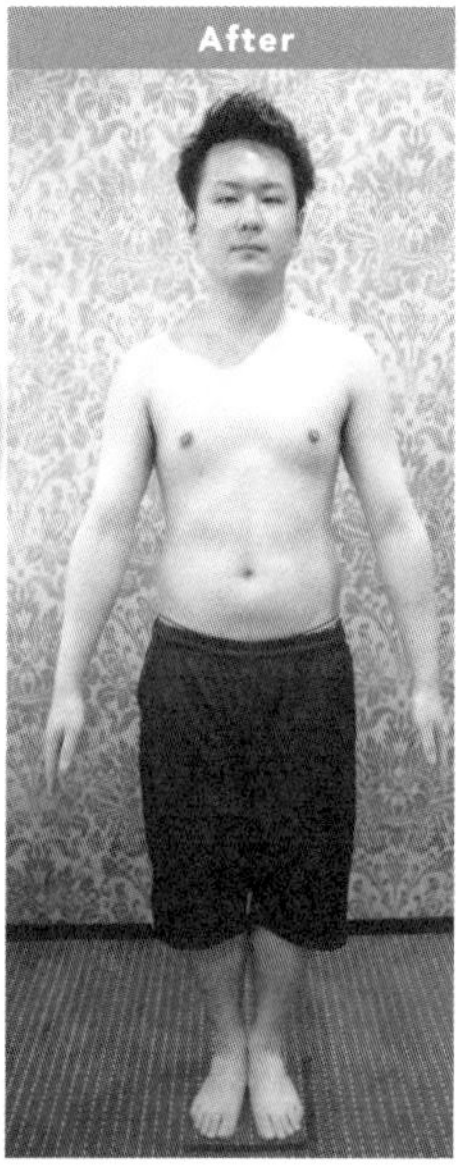

■ 26歳(当時) **男性　会社員　170cm　75.6kg**

《お悩み》
これまで着ていたスーツがパツパツに…
スーツや洋服をカッコ良く着こなせるように痩せたい！

▼

《3ヶ月後》
彼女と3ヶ月のファスティングを乗り越え、
スーツをカッコ良く着こなせるように！

体重・体脂肪率・採寸

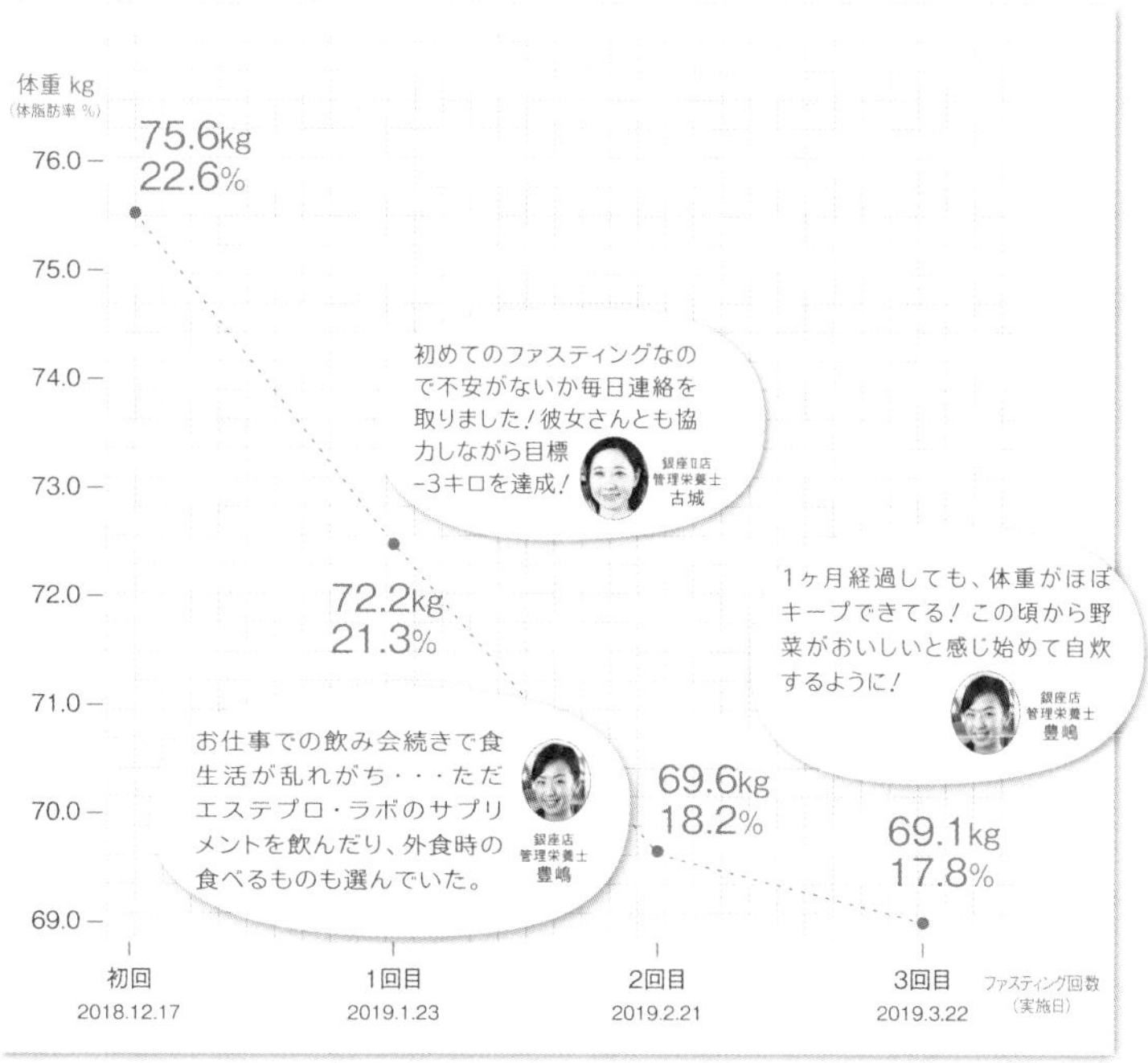
体重 kg
（体脂肪率 %）
76.0
75.0
74.0
73.0
72.0
71.0
70.0
69.0
75.6kg
22.6%
72.2kg
21.3%
69.6kg
18.2%
69.1kg
17.8%
初めてのファスティングなので不安がないか毎日連絡を取りました！彼女さんとも協力しながら目標-3キロを達成！
銀座Ⅱ店
管理栄養士
古城
1ヶ月経過しても、体重がほぼキープできてる！この頃から野菜がおいしいと感じ始めて自炊するように！
銀座店
管理栄養士
豊嶋
お仕事での飲み会続きで食生活が乱れがち・・・ただエステプロ・ラボのサプリメントを飲んだり、外食時の食べるものも選んでいた。
銀座店
管理栄養士
豊嶋
初回
2018.12.17
1回目
2019.1.23
2回目
2019.2.21
3回目
2019.3.22
ファスティング回数
（実施日）

	初回	ファスティング 1回目	ファスティング 2回目	ファスティング 3回目
体重	75.6kg	72.2kg	69.6kg	69.1kg
体脂肪	22.6%	21.3%	18.2%	17.8%
ウエスト	86.8cm	81.6cm	80.5cm	78.6cm
太もも	63.8cm	60.7cm	58.6cm	58.6cm

各種測定結果

11の食リスク分析

・食習慣がかなり改善されて、
食リスクのグラフがかなり小さく!!

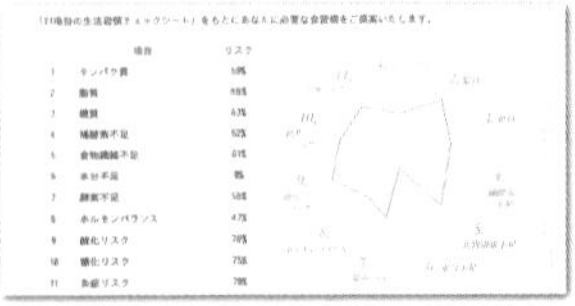

Before

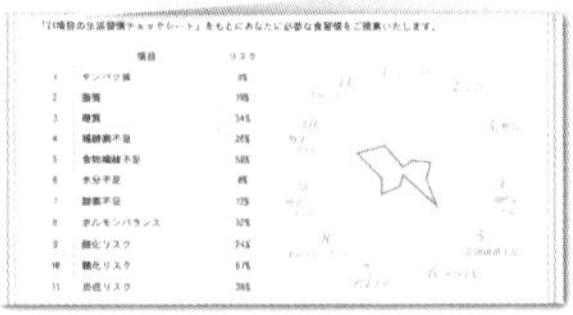

After

体組成測定

・内臓脂肪レベルが「10→7」に減少!!
ズボンを履いたときのお腹周りが相当楽に!

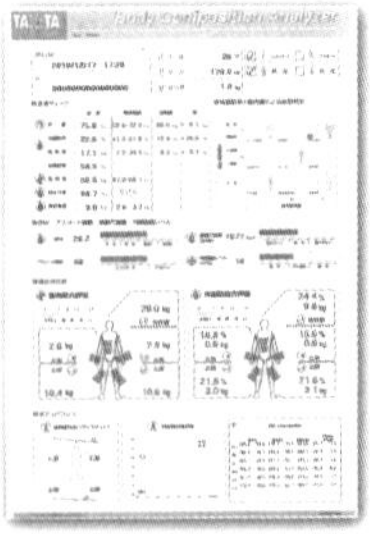

Before

体重	-6.5kg
体脂肪率	-4.8%
脂肪量	-4.8%
除脂肪量	-1.7%
筋肉量	-1.6%
BMI	-2.3
内臓脂肪レベル	-3

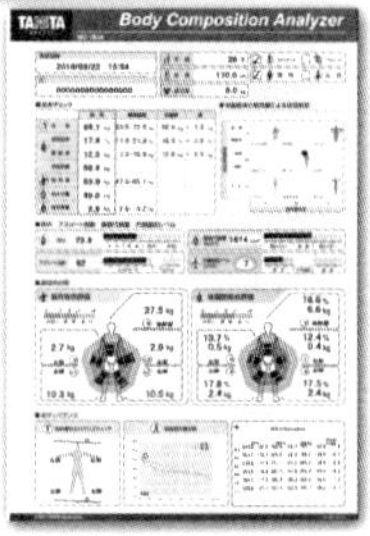

After

有害ミネラル測定

・ファスティングにより体内の
ミネラルバランスが変わった!

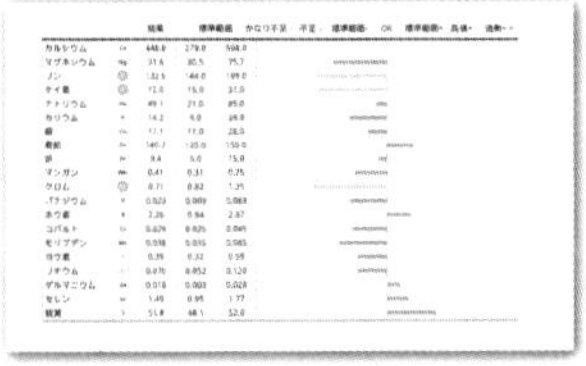

Before

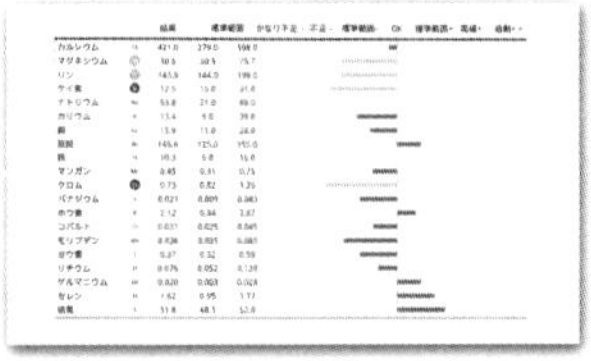

After

ファスティングを終えて

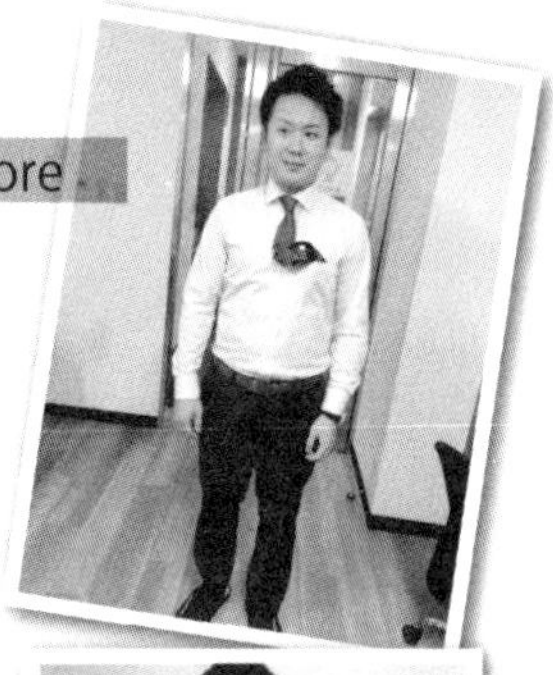

3カ月ファスティングが終わってからも、朝ファスティングは続けています！

以前よりも身体が軽くなって、太って着られなくなっていた昔のスーツも入るようになって、嬉しいです！

今までは、ほぼ外食でしたが自炊をするようになりました！

昔はただの葉っぱだと思っていた野菜も必ず、最初に食べています。野菜を食べられない時にはサプリメント（トリプルカッター）を飲むようにするなど、日頃の食生活を見直すようになりました！

食べるのが好きな人ほど、ファスティングをして太りにくい身体になってください！

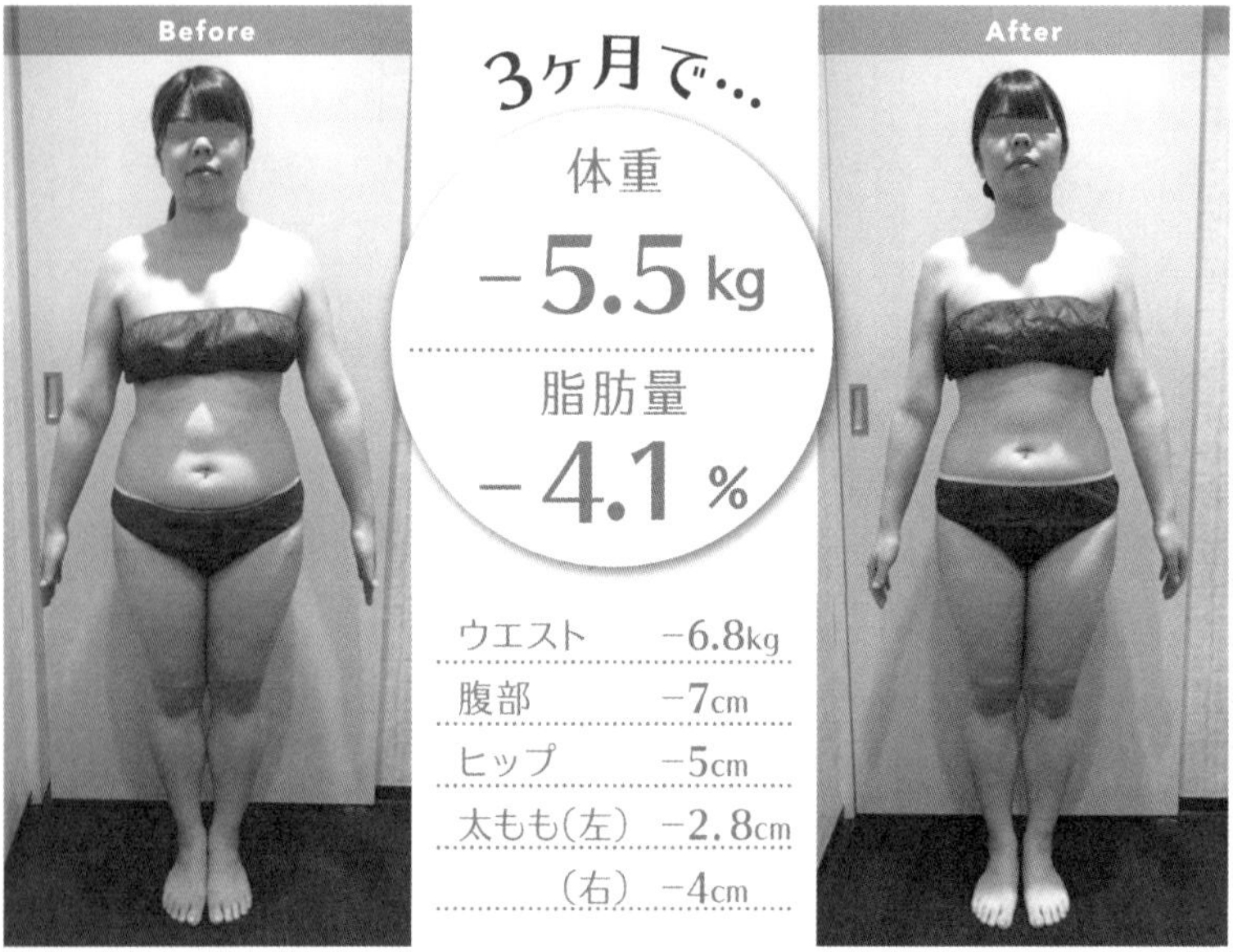
Before
After
3ヶ月で…
体重
−5.5kg
脂肪量
−4.1%
ウエスト　−6.8kg
腹部　−7cm
ヒップ　−5cm
太もも(左)　−2.8cm
(右)　−4cm

■ 31歳（当時）　**女性　主婦・パート　163cm　71.1kg**

《お悩み》
これまでは着れる服選びに悩んでいた。10kg 痩せたらオーストラリアに行く約束をしているため、早く10kg 痩せたい。

▼

《3ヶ月後》
着たい服が着れるようになり、オシャレが楽しくなった！

体重・体脂肪率・採寸

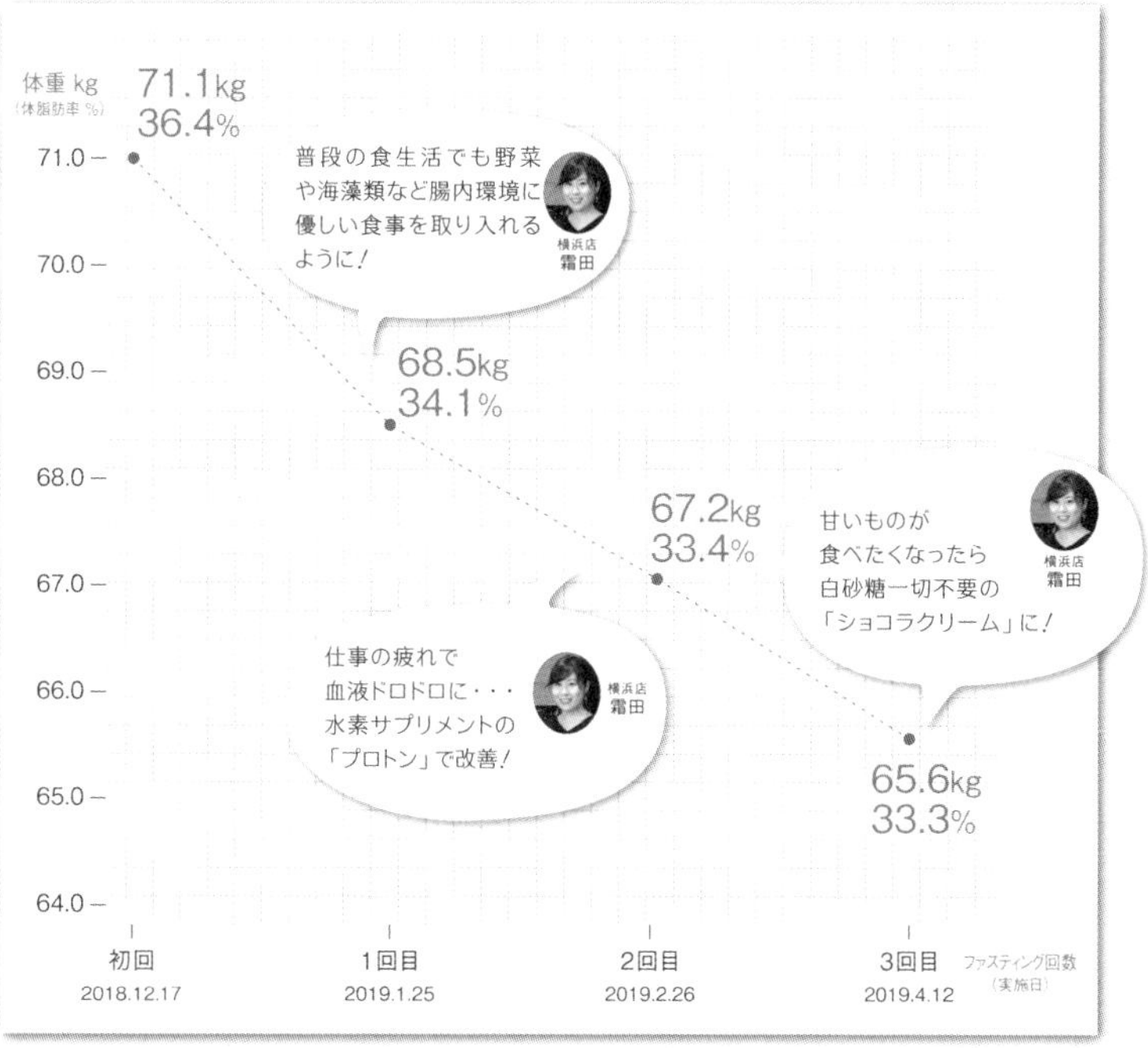

	初回	ファスティング 1回目	ファスティング 2回目	ファスティング 3回目
体重	71.1kg	68.5kg	67.2kg	65.6kg
体脂肪	36.4%	34.1%	33.4%	33.3%
ウエスト	80.3cm	77.0cm	76.0cm	73.5cm
太もも	58.0cm	55.5cm	55.1cm	54.0cm

各種測定結果

体組成測定

・通常食は得意の手料理を交えたファスティングで体重ダウン！

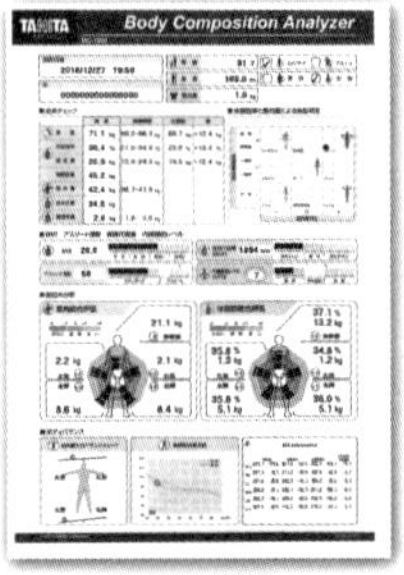

Before

体重	−5.5kg
体脂肪率	−3.1%
脂肪量	−4.1%
除脂肪量	−1.4%
筋肉量	−1.3%
BMI	−2.1
内臓脂肪レベル	−1

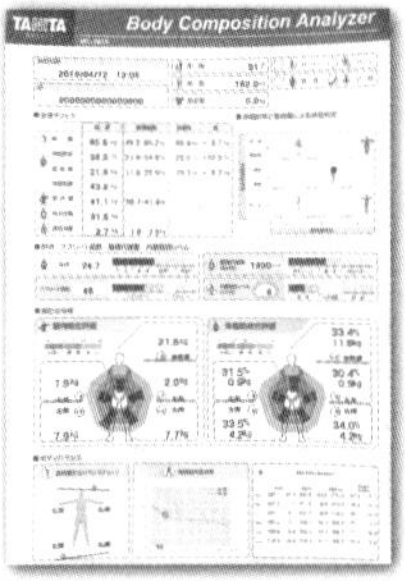

After

糖化測定

・蓄積されていた糖化（AGEs）が排出された！

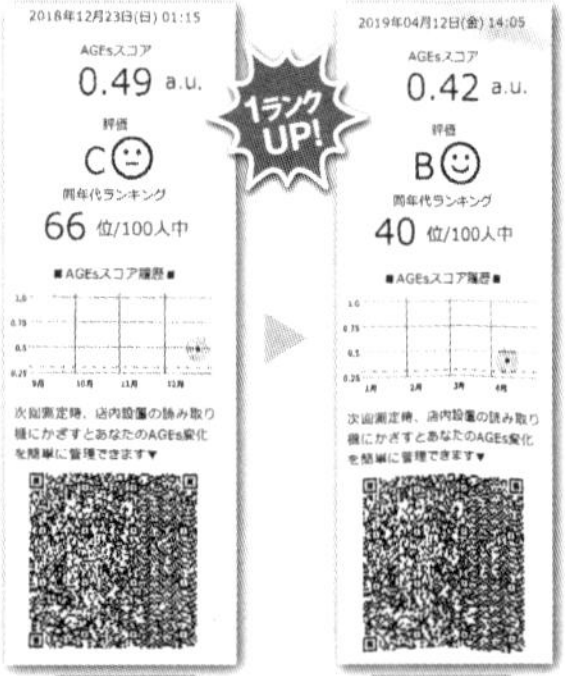

Before　After

血流観測

・血の巡りが早くなり末端の冷えが改善された！

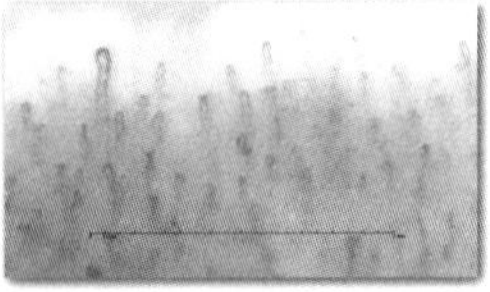

Before

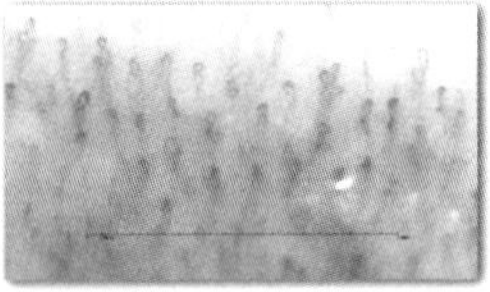

After

ファスティングを終えて

ファスティングをしたことで「野菜」を食べる習慣が身につきました。ご飯は玄米にしたり、パスタも全粒粉にして、なるべく20時までに食事を摂るように心がけています。

以前に悩んでいた腰痛も改善され動きやすくなりました！

最初は食べないなんて我慢できるかと不安だったけど、1回やったら効果も出て、何より自分の意識がまったく変わって毎日前向きになれたのでおススメ！

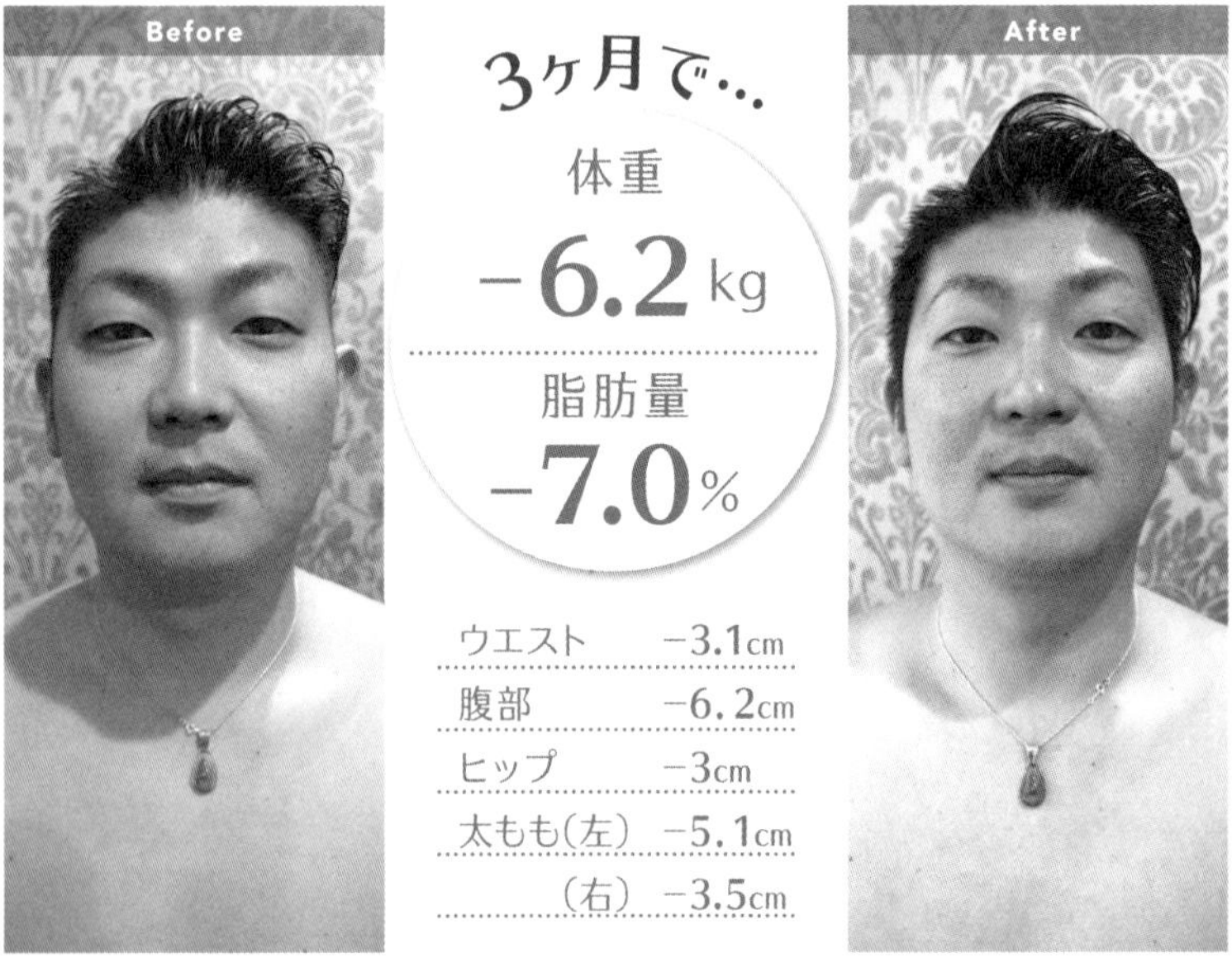
Before
After
3ヶ月で…
体重
−6.2kg
脂肪量
−7.0%
ウエスト −3.1cm
腹部 −6.2cm
ヒップ −3cm
太もも（左） −5.1cm
（右） −3.5cm

31歳（当時） **男性　会社員（営業）　178cm　95kg**

《お悩み》
昨年の健康診断の結果で「脂質異常症」と診断…
結婚式までに健康に痩せて、最高の状態で迎えたい！

《3ヶ月後》
今年の健康診断の結果は「正常値」に！

体重・体脂肪率・採寸

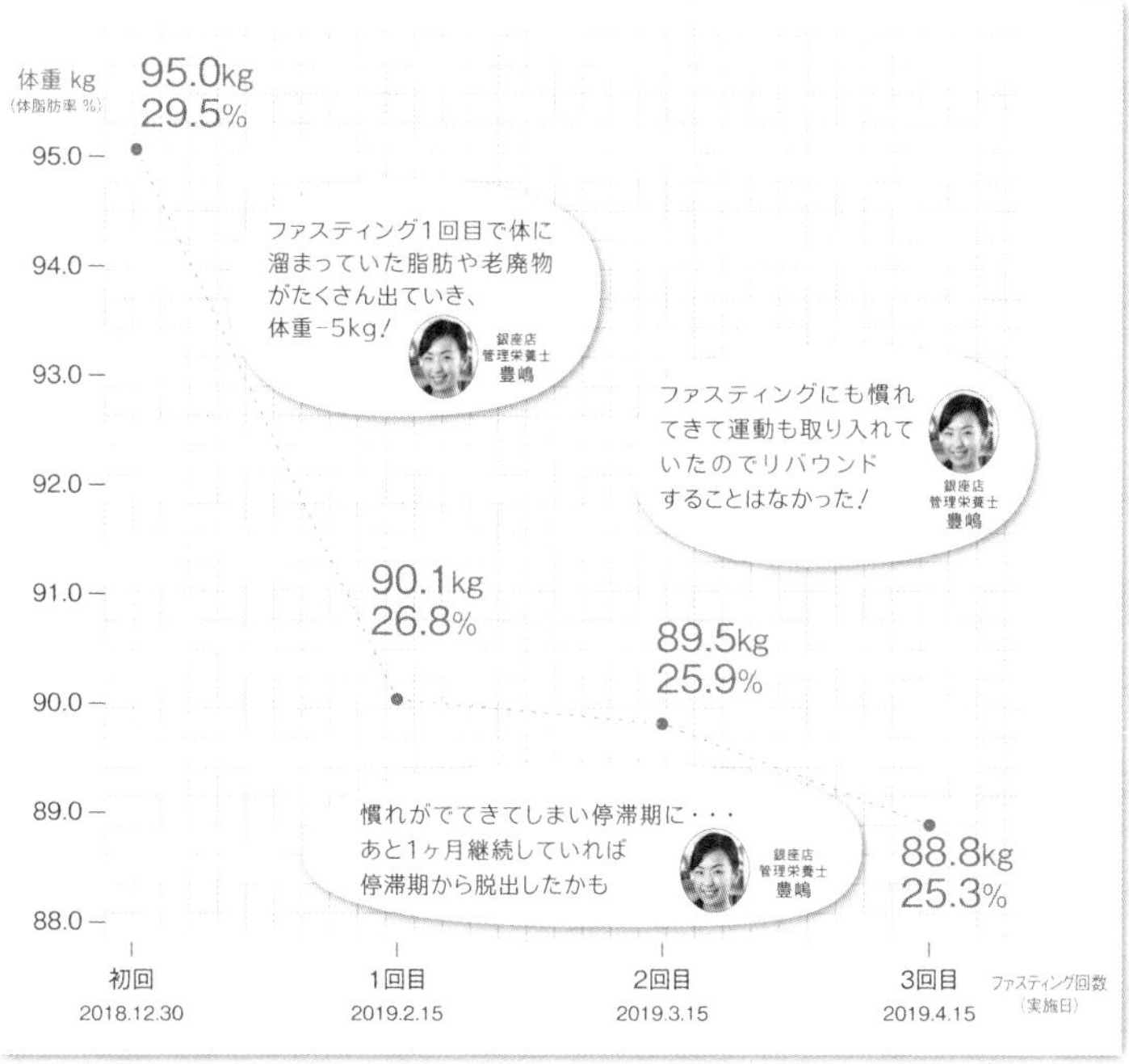
体重 kg
（体脂肪率 %）
95.0kg
29.5%
95.0
94.0
93.0
92.0
91.0
90.0
89.0
88.0
ファスティング1回目で体に溜まっていた脂肪や老廃物がたくさん出ていき、体重−5kg！
銀座店 管理栄養士 豊嶋
ファスティングにも慣れてきて運動も取り入れていたのでリバウンドすることはなかった！
銀座店 管理栄養士 豊嶋
90.1kg
26.8%
89.5kg
25.9%
慣れがでてきてしまい停滞期に・・・
あと1ヶ月継続していれば停滞期から脱出したかも
銀座店 管理栄養士 豊嶋
88.8kg
25.3%
初回
2018.12.30
1回目
2019.2.15
2回目
2019.3.15
3回目
2019.4.15
ファスティング回数
（実施日）

	初回	ファスティング 1回目	ファスティング 2回目	ファスティング 3回目
体重	95.0kg	90.1kg	88.7kg	88.8kg
体脂肪	29.5%	26.8%	25.4%	25.3%
ウエスト	96.0cm	93.5cm	93.0cm	92.9cm
太もも	68.0cm	66.9cm	65.7cm	64.6cm

各種測定結果

糖化測定

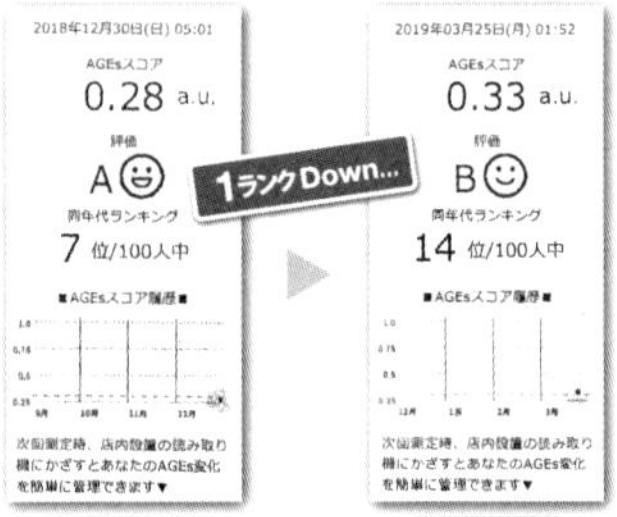

Before　After

・糖代謝のスピードが遅い…
アフターの測定時（2週間以内）パスタやビールなどの小麦類の摂取が多かった。

体組成測定

・体重に大きな変化が！
周りからも「痩せたね！」と言われるように！

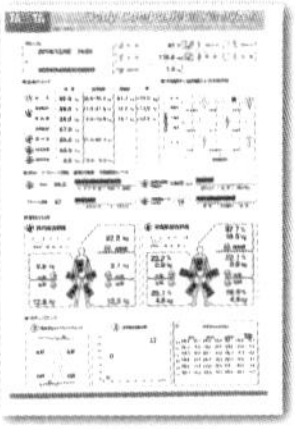

Before

体重	-6.2kg
体脂肪率	-4.2%
脂肪量	-5.5%
除脂肪量	-0.7%
筋肉量	-0.6%
BMI	-2.3
内臓脂肪レベル	-3

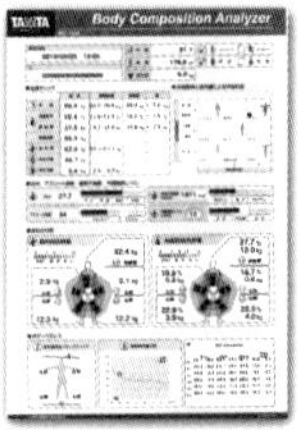

After

有害ミネラル測定

・ファスティングにより有害ミネラルの解毒に必要なミネラルが増えた！！

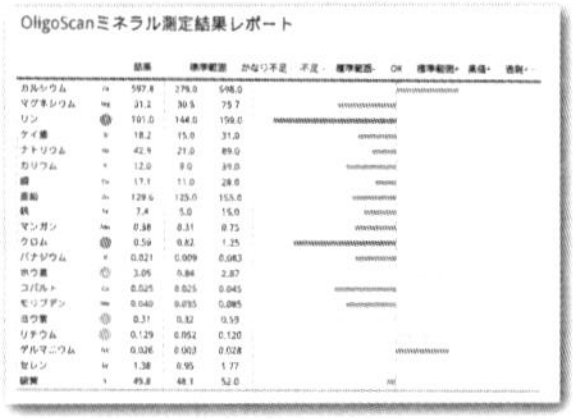

Before

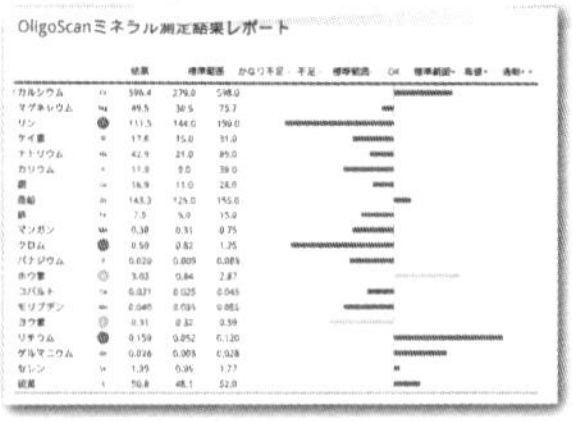

After

※リチウムが過剰に出ているのは、日本人特有の食文化のため問題ございません。

ファスティングを終えて

食が細くなって食べる量がかなり変わりました！

食の好みも変わって大好きなラーメンを食べる回数が減り、脂っこいものが苦手に・・・。

ファスティングを終えてからお休みしていた朝酵素も再開します！

そしてもっと身体を引き締めたいので、ジムに通いながら、引き続きダイエット頑張ります！

ファスティングは健康になっていくのが実感できました。食べるのが好きな人は、より美味しく感じますのでおすすめです。

身体に悪いものを食べなくなったので、数値も良くなりました！

Before

After

結婚式にて…

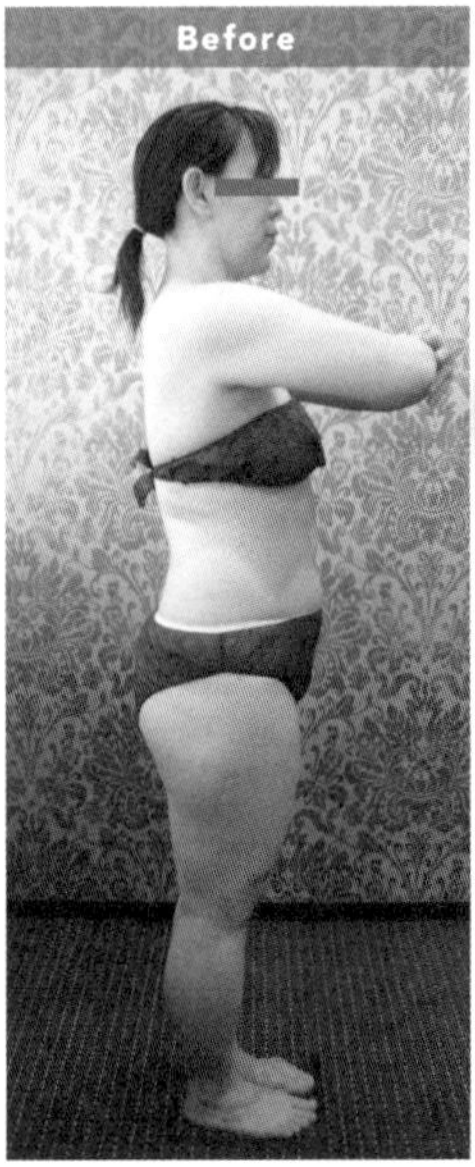

3ヶ月で…

体重

−6.0kg

脂肪量

−9.9%

ウエスト	−2.4cm
腹部	−7.1cm
ヒップ	−6.2cm
太もも（左）	−2.8cm
（右）	−5.2cm

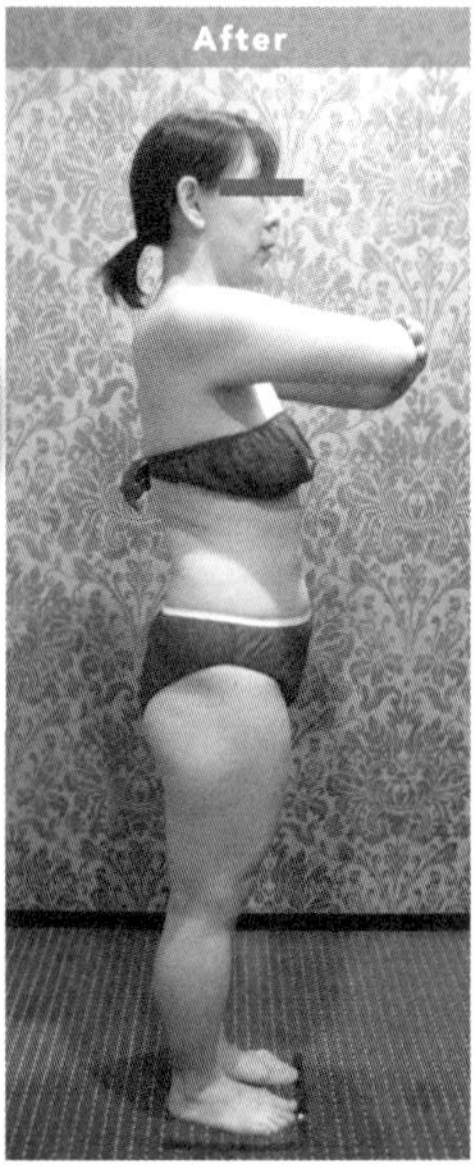

38歳（当時）　**女性　主婦　158cm　70.2kg**

《お悩み》
夫と一緒に歩くのが恥ずかしい…
痩せて素敵な服を着て、夫と楽しくデートがしたい！

▼

《3ヶ月後》
今では夫と堂々と並んでデートができます！

体重・体脂肪率・採寸

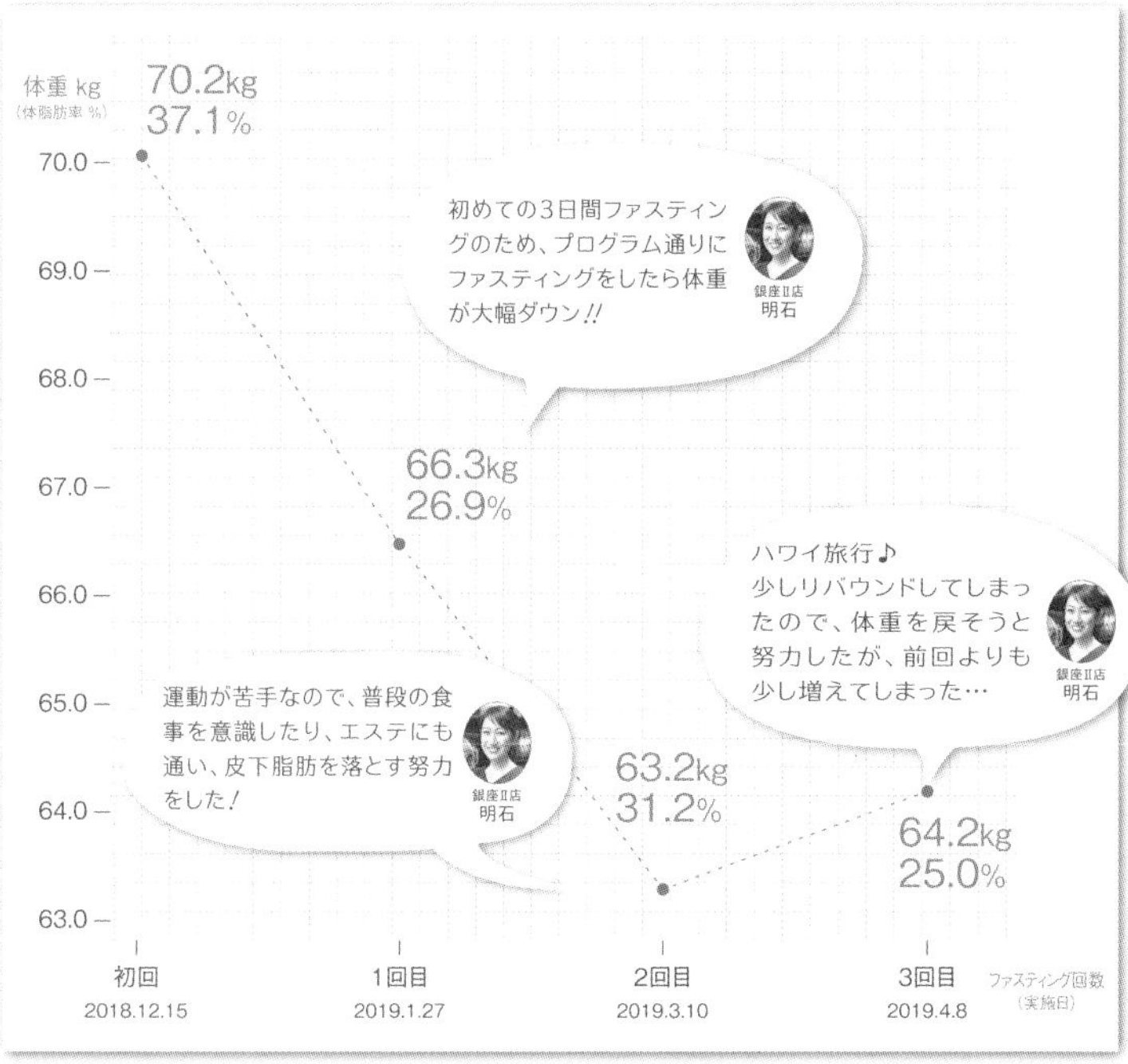

	初回	ファスティング 1回目	ファスティング 2回目	ファスティング 3回目
体重	70.2kg	66.3kg	63.2kg	64.2kg
体脂肪	37.1%	26.9%	31.2%	25.0%
ウエスト	79.9cm	76.5cm	75.5cm	77.5cm
太もも	63.8cm	59.2cm	60.2cm	58.6cm

各種測定結果

体組成測定

・低GI食品を選び、
体脂肪率－12.1％!

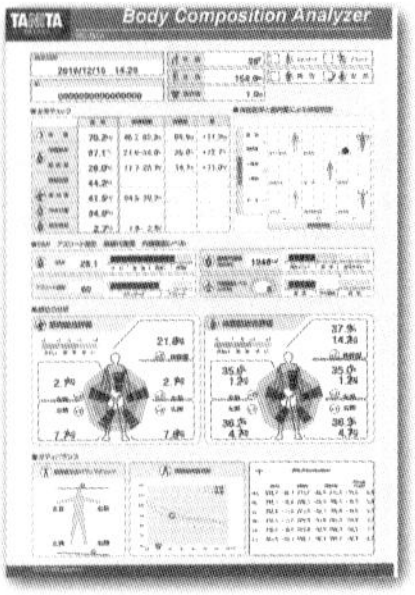

Before

体重	-6kg
体脂肪率	-12.1%
脂肪量	-9.9%
除脂肪量	-3.9%
筋肉量	-3.6%
BMI	-2.1
内臓脂肪レベル	-4

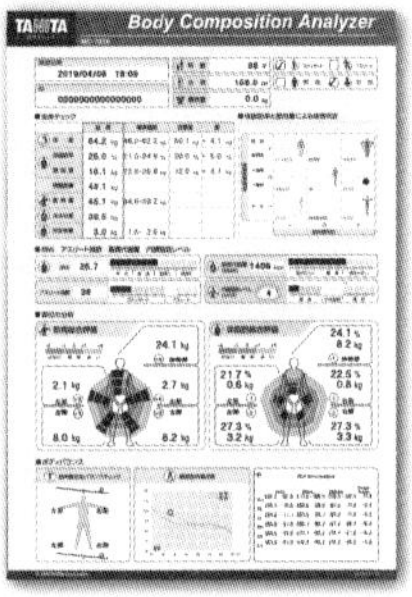

After

糖化測定

・糖代謝のスピードが遅い…
アフターの測定時（2週間以内）
旅行で少し食べ過ぎてしまったそう。

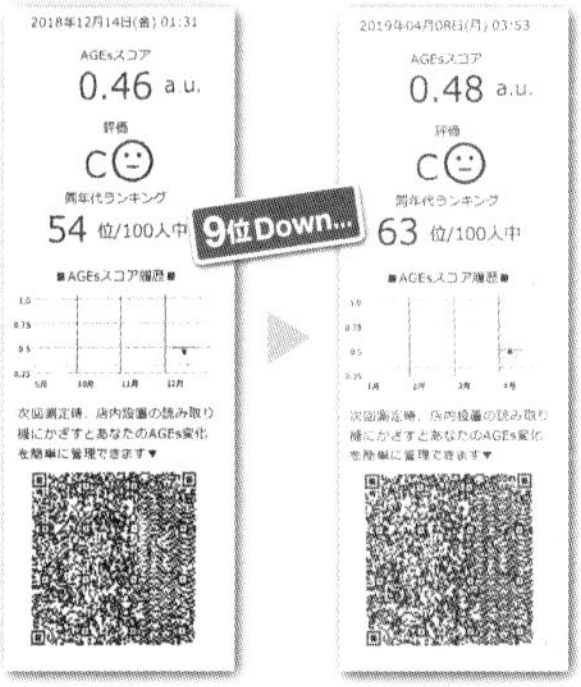

Before　After

血流観測

・全体的に細く長く綺麗に!!
身体を冷やす精製された食べ物を避け、
身体を温めることを意識したそう。

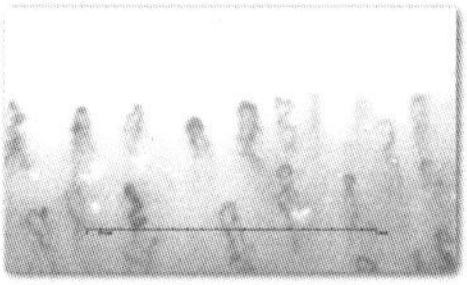

Before

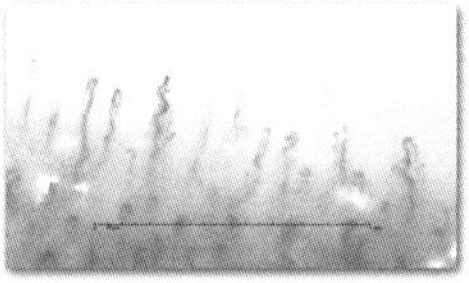

After

ファスティングを終えて

ファスティング中、何か食べたくなった時は酵素を飲んでいました。ですが、酵素がなくなってからは、お菓子を食べてしまい、体重が増えてしまった。

最近、忙しくて食べるものを気をつけられなくて、酵素を飲んでいた時には綺麗だった背中のブツブツが、出てきてしまった！

ファスティング生活を辞めて、改めてハーブザイム（酵素ドリンク）の大切さを知りました。甘い物を我慢できず、毎日のように食べていましたがファスティングを行っていくと、味覚が変わり、砂糖の甘さが苦手になりました。

身体に良い物、今必要な物が正しく選べるようになり、内面も外面もキレイになれるので本当にオススメです！

Before

After

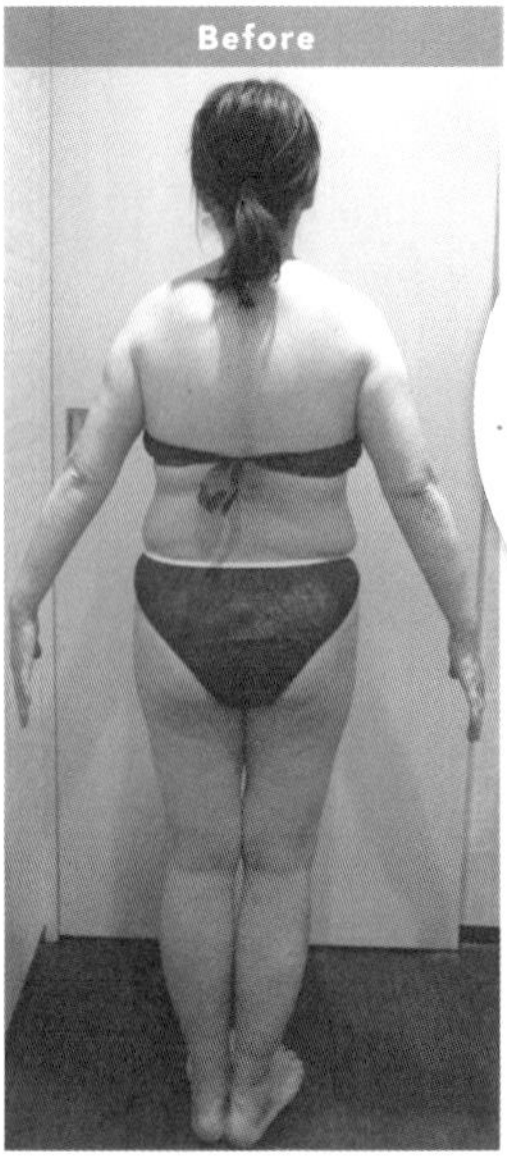

3ヶ月で…

体重
−6.5kg

脂肪量
−2.2%

ウエスト	−8.2kg
腹部	−5cm
ヒップ	−4.1cm
太もも（左）	−1.8cm
（右）	−3.7cm

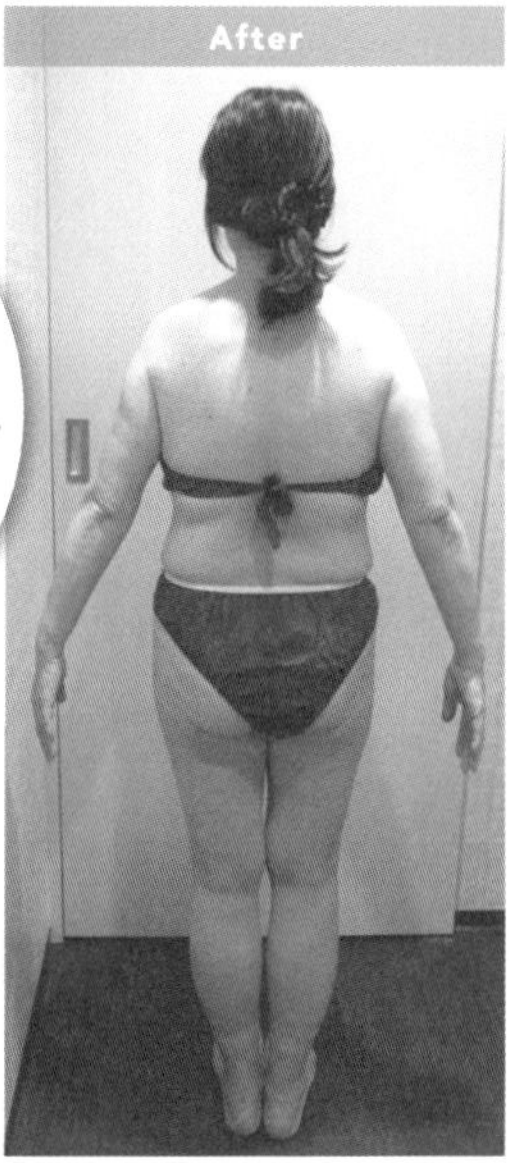

57歳（当時）　**女性　主婦　157cm　62.2kg**

《お悩み》
便秘ガチで痩せにくい体質だが、目標マイナス5kg～8kg！娘の服が着られるようになりたい！

《3ヶ月後》
目標の−6.5kg達成！娘の服が着られるようになった！

体重・体脂肪率・採寸

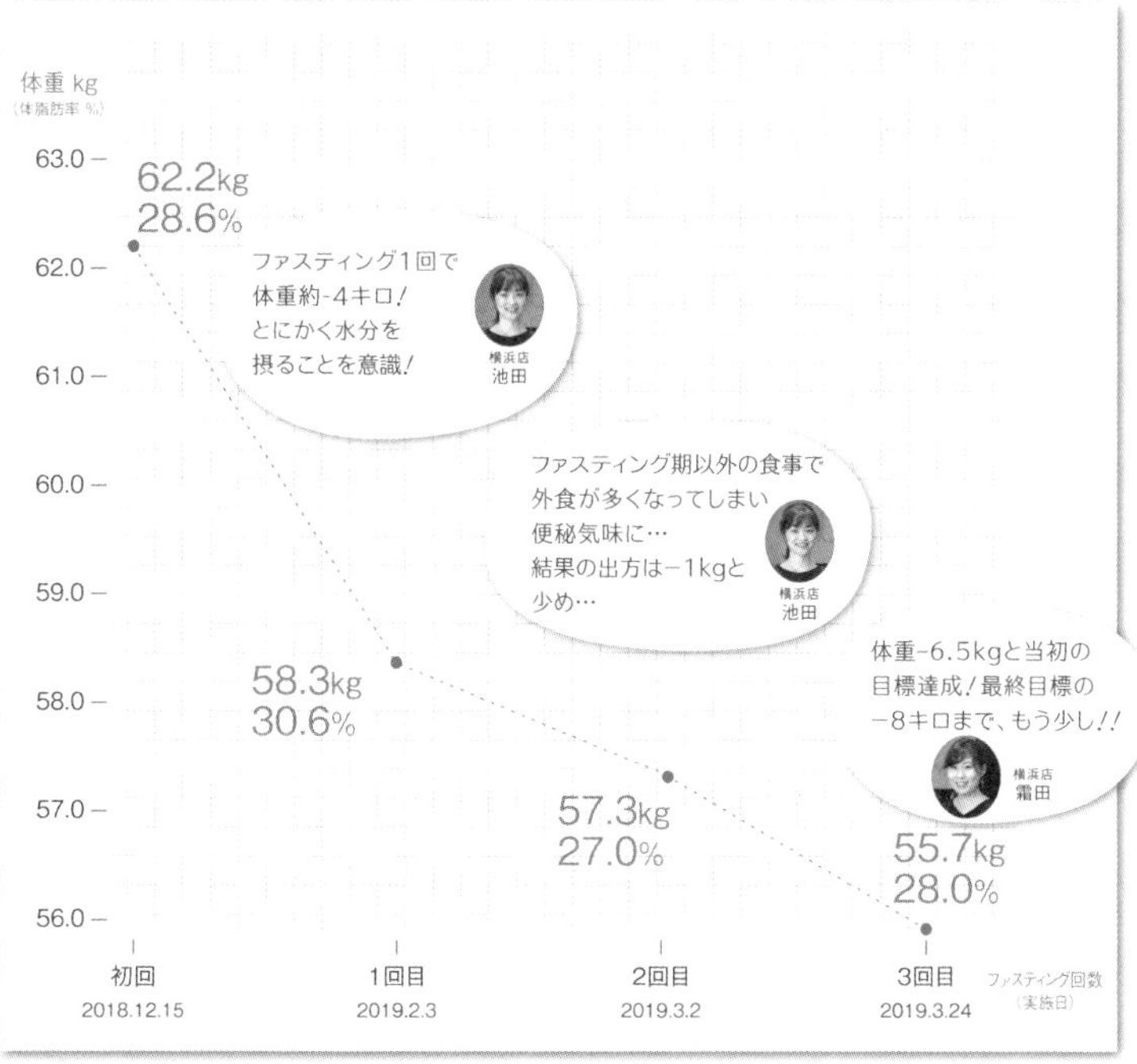
体重 kg
（体脂肪率 %）
63.0
62.0
61.0
60.0
59.0
58.0
57.0
56.0
62.2kg
28.6%
ファスティング1回で
体重約-4キロ！
とにかく水分を
摂ることを意識！
横浜店
池田
ファスティング期以外の食事で
外食が多くなってしまい
便秘気味に…
結果の出方は−1kgと
少め…
横浜店
池田
58.3kg
30.6%
57.3kg
27.0%
体重-6.5kgと当初の
目標達成！最終目標の
−8キロまで、もう少し！！
横浜店
霜田
55.7kg
28.0%
初回
2018.12.15
1回目
2019.2.3
2回目
2019.3.2
3回目
2019.3.24
ファスティング回数
（実施日）

	初回	1ヶ月後	2ヶ月後	3ヶ月後
体重	62.2kg	58.3kg	57.3kg	55.7kg
体脂肪	28.6%	30.6%	27.0%	28.0%
ウエスト	85.2cm	81.3cm	79.3cm	77.0cm
太もも	49.7cm	48.0cm	46.1cm	46.0cm

各種測定結果

体組成測定

50代という、代謝も落ちてくる年齢でも食事や運動を意識していた結果が表れています。

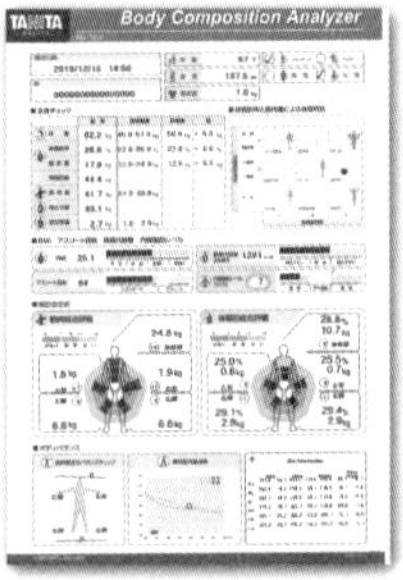

Before

体重	−6.5kg
体脂肪率	−0.6%
脂肪量	−2.2%
除脂肪量	−4.3%
筋肉量	−3.9%
BMI	−2.6
内臓脂肪レベル	−1

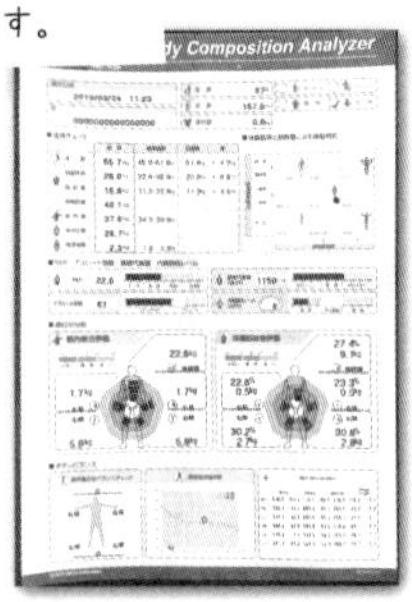

After

糖化測定

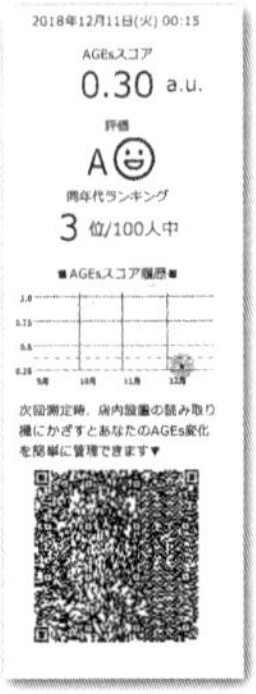

Before

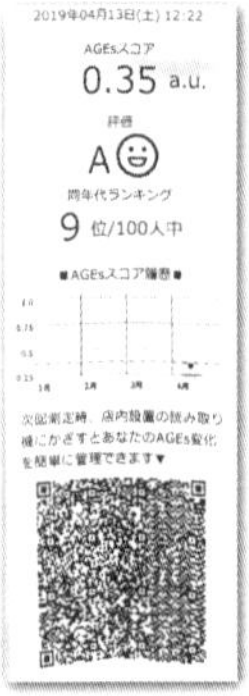

After

普段から糖分はかなり控えているようなのでほぼ変化はなし。

有害ミネラル検査

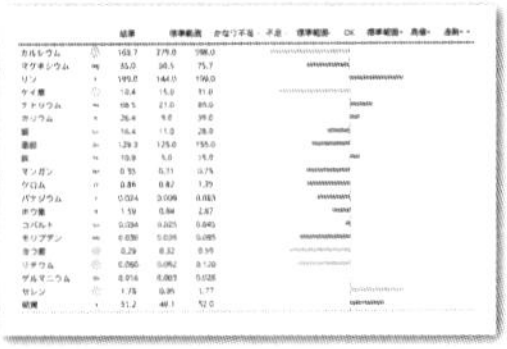
Before

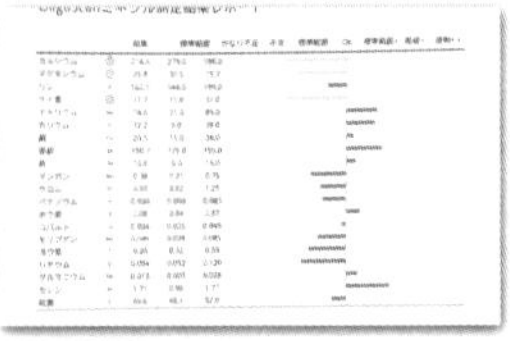
After

カリウムとナトリウムのバランスが整い体のむくみが取れた！

ファスティングを終えて

朝酵素は続けているが、体重が2kgほど戻ってしまいました。恐らくお菓子を食べ過ぎたせいだと思う…。

ただ、ファスティングをしてから洋服のサイズが変わって、娘の洋服を着るようになり、レパートリーが増えてとっても嬉しいです！

今度、クロアチアに旅行に行きますが、旅行後またファスティングをしようかと思っているので、またフォローお願いします♪

ファスティングは食を考えるきっかけとなり、ファスティングで身体の大掃除ができて、回を重ねるごとに辛くなく、体重も見た目もスッキリ。若々しく見えるようになりました。

Before

After

■プロラボ式 ファスティングよくある質問

用意するものは？

プロラボ式　酵素ファスティングに欠かせないのが、酵素やビタミン、ミネラルを含んだ酵素飲料。果汁で薄めていないこと・添加物が入っていないこと・原料が国産であること・自然発酵であるものを選びましょう。その他に必要なのは、良質の水。ファスティングは体内から毒素を追い出す目的もあるので、1日あたり2リットル以上の水を必要とします。この時、塩素の含まれていない水はもちろんですが、ファスティングを大きくサポートするミネラルや酸化還元が豊富な水を選ぶと良いでしょう。

市販の野菜・果物ジュースで行ってもいいですか？

市販で販売されている多くのジュースには、砂糖や添加物が含まれています。本来、酵素ファスティングというのは、野菜の中に含まれる酵素を利用して代謝を上げるのが目的の1つ。ですが、添加物が含まれることによってこの酵素の働きが阻害され十分に働かなくなってしまう恐れがあるのです。さらには、ファスティングに必要なビタミン、ミネラルも十分とは言えず、体が飢餓状態を認識し、いずれリバウンドしてしまう危険性もあります。そして、なにより酵素ドリンクは発酵していることが大変重要で、発酵した野菜果物のエキスを腸に届けることが大切なので市販のジュースでファスティングを行うのは避けた方がいいでしょう。

ファスティング中、頭痛や吐き気が襲ってきたのですが？

ファスティング中、人によっては頭痛、吐き気、肌荒れ、眠気など不調が現れる場合があります。これは、断食により全身の細胞に蓄積されているコレステロールやプラーク、中性脂肪などの老廃物が血液中に排出されているために起きる、いわば好転反応。今までの生活が乱れていれば乱れているほど、好転反応は強く出ます。症状が我慢できないほど重い場合はファスティングを中止して下さい。

さいごに

「なぜ食事をするの？」

この質問をよくさせていただきます。セミナーの場などで参加者のみなさんにこれを聞くと、まぁみなさん素晴らしいご返答を返してくださいます。「生きるため！」「細胞を作るため！」「エネルギーを作るため！」「栄養不足にならないため！」

その後に必ず「じゃぁ食べる必要のない食べ物は食べていないですか？」「健康に生きるための栄養は満遍なく摂れていますか？」という2つの質問をぶつけることにしています。そうすると自信をもって「はい！完璧です！」なんて答えることができる人ってなかなかいなくて、みなさんすーっと目を逸らしてしまうわけです。

私自身も含め普段の食事を「完璧」にコントロールして、必要な栄養はしっかりと摂りながらも、余分なものは一切身体に入れない‼なんてことはなかなかできないですし、そんな気持ちの悪い栄養摂取のためだけに食事をしている方とは私はお友達になれないと思います（笑）私も食事の場を楽しんで、美味しいと思えるものを食べて、食べることが喜びであることはみなさんと同じです。

でも、じゃぁ食事って楽しいだけでいいのか？というとそれは絶対に違う！と声を大にして皆さんにお伝えしたいのです。

この本を読むことでみなさんに少しできるようになってもらいたいことがあります。それは、「あれ？この食事って必要なのかなぁ？」と考える習慣。例えば、それほどお腹が空いているわけでもないのに、お昼の時間という理由だけで食べてしまうコンビニ弁当…とか、なんとなく口寂しさを紛らわせるためだけに食べてしまう甘ぁーいお菓子とか。身体に必要な栄養が含まれていない食べ物を身体にねじ込み、必要のない消化活動を身体に強いてしまっていないか？と、ふと考える習慣をつけていただきたいと思います。

ファスティングをすることで、身体に大きな変化が出るのは間違いなく、本当にご指導させていただいた皆さんが必ず！やって良かった！と思っていただけます。でも、ファスティングってあくまでも最終手段であって、本当に目指すべきはファスティングが必要ない食生活。

これはサプリメントも同じです。私もどうしても足りない栄養や摂りすぎがちなカロリーと戦うために、いくつかサプリメントを摂取していますが、本来は食事を整えることが最優先で、サプリメントを摂らずにすめばそれに越したことはない！サプリメントは所詮、最終手段だ！ということはみなさんもわかってもらえますよね？

ファスティング中のNGフード

酵素を大量に消費してしまうNGフード。せっかくのファスティングも、うっかり食べてしまったらキレイになる目標も苦労も台無しに。ここでは、代表的なNGフードをいくつか紹介します。

1　白砂糖

2　食品添加物

代表的な物

・亜硝酸ナトリウム（発色剤）

・リン酸塩（結着剤）

・ソルビン酸K（合成保存料）

・食用赤色2号（合成着色料）

・BHA（酸化防止剤）

3　過度な動物性タンパク質

4　白米・白いパン・うどん（高GI値食品）

5　過酸化脂質・トランス脂肪酸

6　生の植物の種

この本を読んだ方がファスティングにチャレンジしてくださり、でもそれだけで終わってしまうのではなく、結果的にファスティングを通じて「食べる」という行為を見直すきっかけになって、痩せたり、綺麗になることはもちろん、病気に負けない身体を手に入れてくださることを心より願っております。

最後になりますが、Youtube、Instagram、TikTok等で日々、腸のこと、ダイエットのこと、酵素のことなど内面美容に関する諸々を発信しております。ぜひ、そちらもご覧ください。ぜひそれぞれのＳＮＳで「シンヤ先生」と検索をかけてみてください。

それでは、またお会いしましょう！

２０２１年６月吉日

Youtube

Instagram

TikTok

一般財団法人 内面美容医学財団

シンヤ ノブアキ

株式会社プロラボホールディングス　総合教育グループ部長
一般財団法人内面美容医学財団　理事
一般社団法人日本ウェルエイジング検定協会　理事
グランプロクリニック銀座　アドバイザー

［プロフィール］

1980年東京都生まれ

中学、高校時代をアメリカで過ごし、高校では早朝授業に出席するなどし、同級生より半年早く高校を卒業。帰国後帰国子女専門の予備校へ入学。予備校時代に小劇場演劇と出会い、役者、演出家としてその後10年近く演劇と関わる。同じ時期にファーストフードチェーン店でのアルバイトをスタート。大学入学後もアルバイトを続け、その後ファーストフードチェーン店へ正社員として入社。

当時は食事についての意識は一般男子と同じレベルで、毎日の食事はほぼ自社の商品やラーメン、牛丼といった生活を繰り返す。

2006年右目に違和感を感じ、眼科へ駆け込むと重度の網膜剥離を患っていることが発覚し、そのまま入院し手術を受ける。院内での細菌感染など度重なるトラブルに見舞われ、4ヶ月で全身麻酔も含む4回の手術を経験するも右目の視力をほぼ失ってしまう。

大病をきっかけに体と食事の関係について深く考えるようになり、2009年株式会社エステプロ·ラボ(現株式会社プロラボホールディングス) へ入社。

舞台経験、海外在住経験などを生かし、しだいに講師として活躍を始め、多くの医学会などにも参加をし、情報収集を行う。東京大学や韓国美容外科学会などを始め、年間1,000時間以上、シンガポールやアメリカを始め世界10ヵ国でのセミナーを行う。

参考文献
「朝だけ断食で、９割の不調が消える」鶴見隆史著・学研パブリッシング
「食べても太らず、免疫力がつく食事法」石黒成治著・クロスメディア・パブリッシング
「美と健康は大腸から」中村尚志著・幻冬舎
「腸脳相関」松村浩道著・七星出版

プロラボ式 朝だけファスティング

2021年（令和３年）6月1日　第1刷発行

著　　者　シンヤ ノブアキ
発 行 社　代田　しん
発 行 所　株式会社七星出版
〒161-0032 東京都新宿区中落合2-8-21
TEL　03-6278-8384
http://7hosi.co.jp

発 売 所　株式会社 星雲社
〒112-0005 東京都文京区水道1-3-30
TEL　03-3868-3275

装　　丁　株式会社サンナレッジ　山田 宰
本 文 DTP　株式会社七星出版
編 集 協 力　代田　多喜子

印刷・製本　株式会社光スタジオ

 ISBN 978-4-434-28935-4　C0030